LES MARRONNIERS DE BOULOGNE

Exemplaire d' Alain

ROMANS
D'ANDRÉ MALRAUX

NOËL

AM.

Dédicace d'André Malraux à l'auteur pour Noël 1957.

ALAIN MALRAUX

LES MARRONNIERS DE BOULOGNE

Récit

PLON

IL A ÉTÉ TIRÉ DE CET OUVRAGE QUINZE EXEMPLAIRES SUR VELIN PUR FIL DES PAPETERIES VAN GELDER DONT DIX EXEMPLAIRES NUMÉROTÉS DE 1 A 10 ET CINQ EXEMPLAIRES HORS COMMERCE NUMÉROTÉS DE H.C. 1 A H.C. 5, LE TOUT CONSTITUANT L'ÉDITION ORIGINALE.

ISBN 2-259-00369-9

A la mémoire de Alice Jean-Alley qui m'a enseigné que la lucidité gagnait à être bienveillante,

&

A ma mère qui, dans cette histoire, a donné l'exemple d'une grandeur à la mesure de son effacement volontaire.

AVANT-PROPOS

Il fallait se taire.
D'autres que moi ont entrouvert la porte.
C'est dommage.

Dans le préambule des Antimémoires, *l'auteur a, d'entrée de jeu, pris le soin de nous prévenir qu'il ne nous livrerait pas « un misérable petit tas de secrets ».*

Rejetant dans une ombre qu'il souhaitait définitive cette part de lui-même, il a délibérément choisi de ne nous entretenir que de l'autre. S'il a tu la personne d'André pour magnifier le personnage de Malraux, c'est que s'y incarnait mieux que dans le premier celui qu'il aurait voulu être et qu'il n'était que malgré lui.

Les incursions qui, récemment, se sont multipliées autour de ce qu'il avait préféré taire sont allées très loin dans le détail photographique, irréfutable et parfois gênant d'indiscrétion, mais pas assez profond dans la recherche du fragile, de l'incertain trait d'union qui, par-delà les changements d'objectifs et les rebondis-

sements d'une vie aussi riche que la sienne, ne cessa de relier l'intime à l'assoiffé d'universel, l'homme privé au guetteur de signes.

Lorsque la porte sera close, si elle l'est jamais, il y aura beau temps que je serai mort. Soit.

Seulement, à côté de ces nombreux témoignages, de ces essais biographiques, de tant de prises de positions, il faudra que ma contribution soit présente, même si sa portée demeure limitée.

Sinon, je prends mon courage de la main droite pour l'écrire : manquerait une pièce à conviction.

*Le 22 novembre de l'an passé *, il m'a fallu prendre le premier avion de Rio de Janeiro pour la France avec, lancinante, la certitude que je ne le reverrais pas. A l'atterrissage, c'était fini depuis une heure. Dès le lendemain, l'adieu.*

Comme ce mot reste littéraire tant qu'il ne s'incarne pas de cette façon ! Des enterrements, on dit souvent : il n'y aura rien.

Or il y a presque toujours quelque chose, discours, cérémonies, accompagnements sous forme d'hommages divers. Cette fois, non : vraiment rien. C'est très bien ainsi.

Dans un matin blafard de novembre, la montée vers un petit cimetière, puis une attente marquée sur tant de visages par la recherche d'une contenance, jusqu'à ce qu'un cortège d'abord modeste se forme dans les pas de Florence dès son arrivée, s'avance rapidement, s'immobilise enfin ; on nous distribue des fleurs que, chacun, son tour venu, déposera devant ce qu'on désigne comme : lui.

Dans l'opacité de ce moment, voué à ce sentiment paradoxal qui permet de percevoir l'adieu le plus bref

* André Malraux est mort le 23 novembre 1976.

dans une sorte de surprenant ralenti, voici mon tour ; je m'arrête, pose la rose offerte sur un tout petit tabouret disposé à cet effet, et je me signe, étrangement conscient de ce que ce geste a de pascalien — s'il n'y a qu'une chance, une seule, que cela puisse l'aider là où il est, comment ne pas la tenter, prolongeant quelques secondes encore cette station dernière : toute l'intelligence humaine dans cette boîte — un blanc.

Une fois au Brésil, j'ai pensé que personne ne donnerait de lui, au milieu de ce foisonnement d'images kaléidoscopiques, celles, si longtemps nourries de chaque jour, que garde un enfant de son père. Personne, non par forfanterie, mais parce que Florence a grandi près de sa mère et que Gauthier et Vincent nous ont quittés il y a seize ans déjà.

Sans doute n'y a-t-il pas de grand homme pour son valet.

Mais n'en étant pas un, je voudrais répondre à cette phrase fatiguée autant que fatigante qu'il n'y a d'homme grand qu'aux yeux de ceux qui sont capables de s'apercevoir qu'existe un tel être sans pour cela s'en ressentir diminués, et que cet être, presque indépendamment d'autrui, différent par sa dimension, est rendu terriblement seul par sa différence. Pour ceux, aussi, qui peuvent l'admirer non béatement mais tel quel. Précisément dans le cas de Malraux : plus grand que nature par ce don unique de répandre jour après jour autour de sa personne une vie jamais quotidienne parce qu'il projetait la sienne, y englobant celle de ses proches, indéfiniment en avant de soi jusqu'à l'extrême cap des possibles — et même au-delà, dardant vers l'inconnu de nouvelles terres où aborder toute la force de son regard. L'on verra ici, une fois encore, mais par d'autres chemins, que Malraux ne mène à André que par effractions.

Le détail identifié, c'est toujours pour revenir à

Malraux, y aboutir, le parachever, et parfois culminer en lui.

Mon petit garçon ne le connaîtra pas puisqu'il a vu le jour deux mois après sa mort. L'ultime nouvelle qui lui sera parvenue de moi aura été la grossesse de Priscilla, ma femme, promesse d'un petit-neveu. A ma naissance, Roland Malraux, mon père, se trouvait déjà en déportation. Avant de mourir en Allemagne — dans quelle détresse — il ne lui a donc pas été donné de voir son fils.

Au mieux, a-t-il pu déduire que probablement...

Puisque j'ai le privilège de me trouver en face de mon enfant, puisque j'ai eu celui de grandir près d'André en partageant sans interruption vingt-trois années de ma vie avec lui, je peux porter témoignage. Je le dois à Laurent, pour plus tard.

Je le dois aussi à la mémoire d'André : me taire, aujourd'hui, ce serait consentir à n'importe quoi ; cette mémoire, trop souvent présentée selon des miroirs déformants faute des éléments nécessaires, tant de choses viennent d'être écrites à tort et à travers à son égard, qu'il me faut bien tenter de lui rendre justice. C'est celle d'un homme qui m'a créé une seconde fois et donné tout ce qu'un père peut vouloir offrir aux siens, matériellement, certes mais également ce qui se transmet — au talent ou au génie près, notamment l'urgence d'un certain niveau de préoccupation.

*Ce témoignage, je le dois enfin à ceux, présents ou absents, qui ont été les proches et les protagonistes des années de sa vie que j'ai pu connaître, tous ignorés de ses livres parce qu'*il ne pouvait pas en parler : *quand on recèle tant de dons, il faut bien que vous manque quelque chose.*

Assurément, l'évoquer dans une vie de famille pour lui restituer une dimension personnelle et partant, plus humaine, c'est non seulement rendre la parole à ses proches mais encore s'y aventurer à la première personne : aussi ce livre pêchera-t-il par excès de citations et par l'abus du Je. Mais comment l'éviter ?

Soudain, « l'édifice immense du souvenir » dont parle Proust m'a imposé son emprise, dicté ses volontés.

A charge pour moi de retracer un itinéraire encore préservé des biographies et, s'il se peut, de faire sourdre dans toute sa gamme l'élixir qui en parfuma chaque empreinte pour le faire passer dans ma traduction. La voici.

DESCENDANCE DE FERNAND MALRAUX

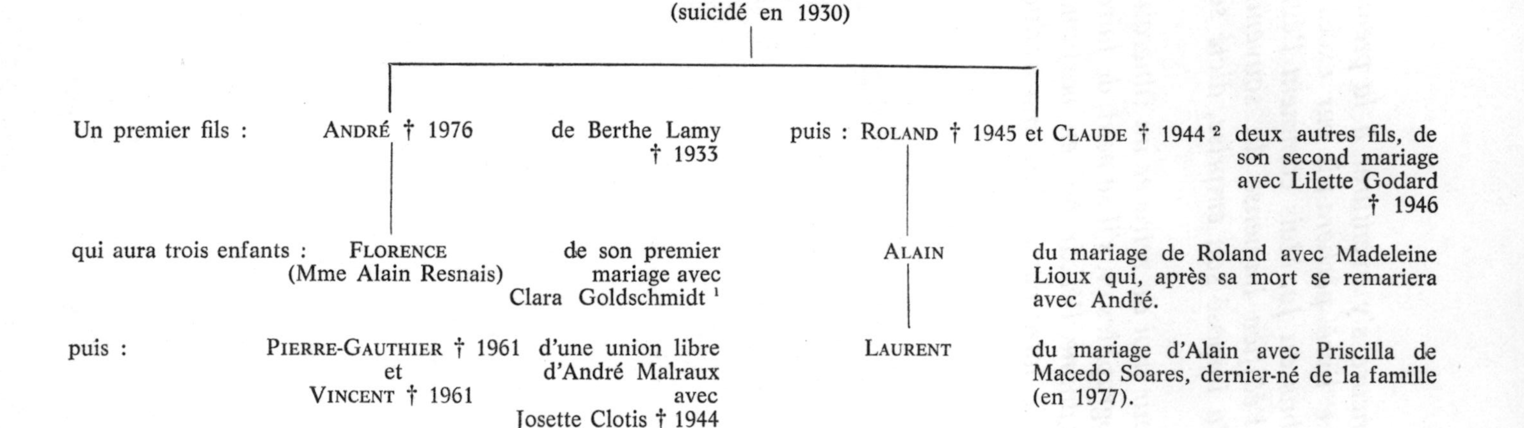

1. Après la guerre 1939-1945, Malraux divorce de sa première femme Clara pour se remarier avec sa belle-sœur Madeleine, pianiste native de Toulouse et veuve de son jeune demi-frère Roland qui laisse un fils, Alain.

Pierre-Gauthier, Vincent et Alain seront élevés ensemble comme trois frères, tandis que leur sœur aînée, Florence, grandira près de sa mère Clara. Pierre-Gauthier et Vincent se tueront en voiture le 23-05-1961.

En 1966, André et Madeleine se séparent définitivement mais ne divorceront jamais.

2. Ces deux frères mourront tous deux pour faits de Résistance, le premier en déportation, le second exécuté par les Allemands.

I

DANS LES ARBRES

Ce que nous appelons réalité n'est point une chose qui s'offre à nous mais un fruit de l'initiation, et l'initiation commence avec l'amour.

Demain est toujours une séparation.

O.V. de L. MILOSZ.

Je n'ai pas connu d'autre père que Malraux, André : deux noms que j'ai entendus avec des guillemets pendant une vingtaine d'années, l'un comme l'autre parce qu'ils ne faisaient qu'une double coïncidence avec celui que j'appelais papa — mais sans guillemets. C'est vrai : je ne me souviens pas du temps où je ne le connaissais pas. Lui, mon père ? Sans doute possible.

« Monsieur », disait notre cuisinière Blanche, avec la distance du quant-à-soi que lui dictait la comparaison entre ce nouveau maître et l'ancien, Sacha Guitry. « Là, au moins, on recevait », soupirait-elle.

Comme tous les adultes, il m'est apparu immense ; impossible de devenir aussi grand, même quand je serais grand.

Du bureau où il travaillait, qui se tenait dans une sorte d'alcôve ouverte sur la « grande pièce » — nom de baptême du salon — jusqu'à ma chambre, à l'étage au-dessus, il y avait loin.

Pour y remonter, à quatre pattes, faut-il le dire, le temps me semblait long. C'est là que je l'ai rencontré dans la tabagie que dégageaient ses cigarettes « Camel » ; je ne fume plus, mais il m'arrive rarement de respirer leur arôme sans penser à lui.

Presque en même temps, je découvrais la musique

en écoutant ma mère jouer la seconde *Rapsodie en sol* de Brahms, *Poissons d'or* de Debussy et la *Gymnopédie* de Satie maintenant si célèbre, mais à l'époque au cœur de son purgatoire. Il ne me parlait guère mais lorsqu'il me jetait l'un de ses regards obliques, forcément de très haut, il me plaisait. Toutefois, je sentais qu'il ne fallait pas m'attarder dans cette pièce au plafond démesuré : j'étais, je n'étais là que de passage ; mon logis était au second, inutile de me le signifier.

C'est ce salon qui m'a déformé pour la vie : les plafonds que j'ai pu voir partout ailleurs, et jusqu'à ceux qui, depuis, m'ont abrité, me semblent toujours bas. Celui de la grande pièce était sinon triple, du moins double comme le sont ceux d'un atelier mais avec, dans ce cas, une disproportion encore accusée par la couleur des murs, blancs comme ceux d'un couloir d'hôpital.

Je le trouvais beau, cet espace. Double aussi, un piano qui ne m'étonnait pas puisque c'était le premier que je voyais : la surprise des visiteurs qui n'en avaient jamais imaginé de semblable me faisait sourire. Fort long, habillé d'acajou décapé, puis, cérusé, ce Pleyel comptait parmi les rares prototypes lancés par cette firme pour l'exposition universelle de 1937 et avait la forme d'une haute table de billard flanquée à chacune de ses extrémités d'un clavier, soit deux instruments en un. Il arrivait que Jacqueline Latarjet, amie et condisciple de ma mère dès leurs classes de Conservatoire, vînt jouer avec elle le *Concerto en Ut mineur* de J.-S. Bach, la *Sonate pour deux pianos* de Mozart ou *Scaramouche* de Darius Milhaud.

Lorsqu'elles en firent des enregistrements, je découvris les premiers disques de mon existence ; en 78 tours, ils étaient lourds mais cassables et je pris garde, avec eux, de me montrer encore plus soigneux que les grandes personnes.

Si je dis que c'est là que j'ai découvert la musique, je me trompe de phrase, car à l'inverse, c'est là que la musique m'a révélé à moi-même en me certifiant que j'existais.

Quand le salon était vide, aux temps où André parcourait la France pour se faire le héraut du général de Gaulle, temps d'orage où le R.P.F. et le parti communiste échangeaient invectives et quolibets, j'y descendais tout seul pour me rouler en boule sur l'énorme tapis crème qui en recouvrait presque tout le parquet. Profonde était son épaisseur, que j'embrassais longuement, dont le parfum laineux rôde encore parfois dans ma tête — j'avais besoin d'embrasser, déjà et beaucoup : gens, choses, animaux.

Par les hautes fenêtres, par la vaste baie vitrée qui leur était perpendiculaire, je me plongeais dans un grand bain de marronniers et, entraîné par leurs palettes successives, j'apprenais peu à peu à nommer la température et les saisons qui rythment le seul luxe devant lequel existe une égalité — le temps.

Seul à cet endroit paisible dont la clarté ivoirine devenait opalescente au soleil le plus timide, je me trouvais bien.

Avec une réelle densité, je percevais mon goût pour cette chose indéfinissable que, faute de mieux, on surnomme la vie.

Au second se trouvaient mes deux frères. Comme ils étaient différents ! J'étais le benjamin, mais je ne me souviens pas non plus du temps où Vincent n'était pas près de moi : trois mois après la mort de sa mère, la mienne nous avait élevés ensemble.

En revanche, l'arrivée de l'aîné, « Bimbo » pour les parents, Gauthier pour la petite classe, m'est présente ; il venait de chez sa grand-mère maternelle et il était malade d'avoir dû la quitter.

Il entra dans la chambre que je partageais encore

avec Vincent, posa sur nous, qui jouions par terre, un regard traqué.

Soudainement, ses yeux s'affolèrent ; l'effroi s'y alluma un instant comme devant une grave menace, avant que la colère d'un enfant jusque-là toujours seul lui fasse donner un coup de pied qui cassa certains jouets en les faisant valdinguer à travers toute la pièce.

Nous le dévisageâmes, cet étranger, flairant sa défiance, mais recommençâmes le jeu presque aussitôt. Sa défiance, sa souffrance aussi, l'intérêt marqué que lui témoigna son père, les murmures bienveillants de ma mère, malveillants de la nurse Juliette, nous apprirent qu'il était digne de considération parce qu'il était le plus grand — le plus vieux, quoi. Vincent ne mit pas longtemps à atteindre sa taille et la rivalité qui existe presque inévitablement entre frères naquit sans tarder.

Je m'entendais merveilleusement avec Vincent : il était aussi maigre, silencieux et voué à la solitude que j'étais, moi, poupin, exubérant et avec-les-autres. La tendresse maternelle me protégeait de tout et je ne pouvais craindre que de la perdre.

Dans la chambre de l'aîné, il y avait la photo de son père et celle de sa mère ; dans la mienne, il y avait celles de mes parents : ce n'était pas le même couple ; dans la chambre de Vincent, dès qu'il eut la sienne, il n'y avait pas de photo. Il n'y en eut jamais. Vincent était invinciblement triste mais j'étais tellement joyeux et je l'aimais si fort que le sans-espoir de ses yeux ne parvenait pas à m'atteindre, sûr que le lendemain me réveillerait capable de l'en guérir. Notre nurse était rousse et plus que simplette ; elle ne nous frappait jamais mais nous débitait sans cesse des horreurs niaises sur tout le monde d'une voix aussi sotte que monotone.

Elle rendit Vincent anorexique à force de lui tenir

sermons et tirades sur l'appétit des enfants de Claude Bourdet chez qui elle avait longtemps sévi, et moi, je devins boulimique à la fois pour lui plaire, par gourmandise, et parce qu'elle m'affirmait que, de la sorte, je ferais plaisir à papa Roland, au ciel.

Mon père, le vrai, était mort en déportation en mai 1945.

Selon elle, on n'en avait jamais eu de preuve certaine et alors...

Le remariage de mon oncle et de ma mère, jeune veuve d'un héros de la Résistance, avait profondément troublé cette idiote ; choquée, elle ne se privait pas de commentaires tendancieux, tour à tour croustillants et larmoyants sur une pente à forte déclivité où elle parvenait parfois à entraîner ma grand-mère maternelle.

Je n'arrivais pas à leur en vouloir parce que j'étais le plus heureux : depuis que j'étais en âge d'entendre, la musique me comblait.

Mon trouble naissait du vague pressentiment que cette belle histoire serait, comment dire ? provisoire. Cela s'arrêterait net, un jour.

Je ne savais pas cette harmonie construite sur des ruines et n'aurais rien pu expliquer. Mais l'intuition ne dormait que d'un œil : rien de ce dont je disposais n'était acquis, quelque chose me le soufflait. C'est pourquoi j'en profitai.

Comme Colette, j'absorbai « autant de joies que j'en pouvais contenir ». Joie de vivre : la première fois que, dans la bouche de Jenka Sperber, j'ai entendu l'expression, j'ai su que je connaissais ça ; que c'était plus rare que le contraire ; surtout, qu'il ne fallait pas perdre ce surprenant, cet absurde privilège.

Gorgé d'amour, d'attentions délicates, de protection, je pouvais avoir six ou sept ans, lorsque je lus le résumé de l'action de *Hamlet, Prince of Denmark ;* malgré certaines analogies de situation familiale entre le héros et moi, je ne me troublai pas outre mesure.

Tout de même, mon père était mort mystérieusement, mon oncle avait épousé ma mère, c'était bizarre. Mais l'oncle c'était Papa, et je n'avais pas à m'en plaindre, car il me laissait idolâtrer ma déesse-mère, préposée à la distribution du Bien.

Le Mal, c'était en premier lieu : les Allemands, plus connus sous le nom de nazis. Et les communistes. Vers 1949, encore minuscule, j'ai demandé à Papa : « Qu'est-ce qu'ils sont, les communistes ? Ils sont méchants ? » Il m'a répondu, textuellement : « Ce n'est pas comme ça : ce qu'ils veulent est bien. Ce qu'ils *font* est bas. »

J'ai presque compris, tout en saisissant que c'était bien difficile à comprendre, mais en me disant que plus tard, je finirais par comprendre clairement. Malgré les années, j'ai peu progressé dans la compréhension de cette énigme — enfin, guère plus que toute l'humanité. Dans le noir de ma chambre, j'avais du mal à trouver le sommeil, sûr que ces ténèbres contenaient une force mauvaise, insoupçonnable pour les miens, auxquels je tentais vainement, le jour venu, d'expliquer son existence, laquelle ne menaçait personne, étant une chimère. Un câlin maternel venait souvent me rassurer, ou du moins différer mes angoisses. Mais si les parents sortaient, cela tournait au petit drame. Ce n'était pas très fréquent.

Alors, alors, je pouvais devenir une fontaine ; ces larmes me prodiguaient une délectable tiédeur, tout en me procurant un extraordinaire sentiment d'intensité. Je devenais plus réellement triste lorsque j'avais finalement cessé de verser mes précieux pleurs. En général, je me réveillais beaucoup plus tôt que le reste du pensionnat. Dressé dans mon lit, je savourais cet instant entre tous : qu'il était doux d'être à cette place, — et en même temps tellement injuste car dehors, il y avait un monde qui ne connaissait ni amour ni chauffage central. Ce monde, il m'attendait, il me guettait — ou quelque chose de pire, qui sait ?

Cette chose-là gagnerait, à la fin, et je n'aurais plus rien de ce qui peuplait ma chambre et ma vie — profites-en, profites-en bien.

Tandis que Gauthier et Vincent se traînaient jusqu'à la table où tiédissait notre petit déjeuner, les yeux collés de sommeil, je gigotais en tous sens. Même à cette heure-là, ils étaient beaux.

Ils étaient beaux, ils n'étaient pas gais. Ils avaient tout pour s'entendre, mais voilà : ils étaient frères, et cela seul les opposait à tout moment pour chaque détail de la vie familiale.

Régulièrement, leur grand-père maternel, M. Clotis, homme placide et bon, venait les voir, appelé à Paris pour faire avancer une affaire. Eux, ils allaient passer leurs vacances à Hyères, dont il détenait la mairie depuis 1947. Il était radical, franc-maçon dès ses vingt ans et fervent admirateur d'Herriot, contrairement à André qui ne pardonna jamais à ce dernier certains mots contre de Gaulle.

A ces moments, qui étaient Pâques ou six semaines d'été, ou encore Noël, je me retrouvais seul entre les parents : leur père et ma mère.

Vers mes sept ans, se précisèrent certains traits de notre quintette : Gauthier restait le préféré de son père, comme de son grand-père ; moi, à l'évidence, celui de ma mère ; qui, alors, aimait Vincent ?

Tout le monde. Mais il n'était le *préféré* de personne, sauf, peut-être de sa marraine Rosine, loin de nous dans sa Corrèze où elle avait tant aidé André et Josette Clotis pendant l'Occupation, où elle avait aussi fermé les yeux de cette belle grande jeune femme après que le tortillard de Saint-Chamant eut happé ses jambes devant elle, témoin paralysé d'horreur et d'impuissance sur le petit quai.

Une fois l'an, parfois même plus rarement, nous voyions arriver Rosine, vive et charmante, les bras chargés de jouets pour son filleul, de cèpes et de foie gras pour les parents. Jeanne Delclaux fut rebaptisée Rosine par André, qui voyait en elle le plus piquant contraste avec son mari, tabellion qui lui paraissait descendre directement du docteur Bartholo.

Lors de ses passages à Boulogne, ma mère ne la laissait pas repartir sans lui offrir quelque chose qui pouvait être la boule noire de son parfum, « Arpège » — le premier que j'identifiai à cause de sa connotation musicale. Ou autre chose.

Ce qui nous intriguait, moi tout particulièrement parce que les souliers de dames me fascinaient, c'était la gourmette en or qui cerclait sa cheville. Personne ne nous avait expliqué la signification communément attribuée au port de cette chaînette et cela n'aurait eu aucun sens car, quant à elle, non, elle n'était la prisonnière que de sa... bourgade.

Comme l'indiquait le maître de maison, les hôtes de passage n'étaient qu'épisodiques, à quelques exceptions près.

On venait le consulter d'un peu partout sur les problèmes de l'heure, et il recevait chacun avec une ponctualité aussi courtoise que distante, de préférence en dehors des heures de repas.

Je n'ai pas connu d'être moins paresseux. S'il ne lisait pas, il était le plus souvent à sa table de travail avant 8 heures.

Il y poursuivait son ouvrage jusqu'au déjeuner, pris dans son bureau en tête à tête avec ma mère sur une table de bridge dressée à la hâte ; après le café, il s'y précipitait de nouveau. Nous allions les saluer après notre dîner, servi dans une salle à manger séparée, au moment où commençait le leur. Restée inachevée, attenante au bureau paternel, cette fausse pièce avait le charme un peu toc des meubles d'été qu'elle abritait, caractéristiques de l'entre-deux-guerres : grands fauteuils faussement classiques de ferronnerie peinte en blanc, capitonnés de coussins outre-mer et disposés autour d'une grande table ronde surmontée d'une épaisse dalle de verre bleu à laquelle répliquait une console du même ensemble dit « de jardin ».

Nous n'y prenions les repas ensemble que le dimanche, bourgeoisement à midi, et le soir en dînette froide.

Il n'y avait pas encore de poste de télévision et la radio restait le plus souvent silencieuse dans l'énorme combiné Pathé-Marconi de bois massif qui contenait également le tourne-disques et se trouvait encastré dans la ravissante armoire de théâtre vénitienne de la chambre conjugale, aux deux battants peints de scènes de genres ou animalières dans l'esprit de Pietro Longhi ; ce meuble pittoresque et plaisant était aussi la demeure de marionnettes et de figurines de la Commedia dell'arte : ainsi Arlequin, Colombine et un Pierrot à mi-chemin entre le *Gilles* de Watteau et le Baptiste des *Enfants du paradis* furent-ils, en compagnie d'*Orlando Furioso,* les premiers héros de mon imagerie personnelle. La chambre des parents, j'aimais bien y aller mais je n'aimais pas en sortir ; pourtant, il le fallait bien : c'était toujours à contrecœur.

On n'eut toutefois jamais à me dire d'aller dans la mienne, occupé après le dîner qui suivait le bain du soir à farfouiller dans la discothèque et à manipuler ces enregistrements à la fois lourds et fragiles en retenant mon souffle ; quand revenaient André et ma mère, je me sentais toujours un peu en faute et ne m'attardais plus que le temps de me faire embrasser, puis, m'enfuyais vers ma tanière. Les grandes personnes, et d'abord André, je voulais parvenir à les comprendre et, vers six ans, cherchais déjà à me désolidariser de mes contemporains les enfants, frères ou non : je les trouvais moins intelligents et, à mes yeux, comme il fallait être « intelligent » !

Toujours je m'efforçais de l'être, et presque toujours me faisaient défaut l'articulation, le détail significatif qui rendent possible une acquisition. J'aimais tout de même jouer avec Vincent, faire rouler nos dizaines de petites autos, voler notre collection d'avions, manœuvrer notre flotte de petits navires sur le parquet de nos chambres, devenu océan : ce n'était pas le plus important. Mon point commun avec le petit Marcel, celui qui longtemps s'est couché de bonne heure, c'était l'attente du baiser maternel.

Cette attente, si elle ne risque guère de m'inspirer une autre *Recherche,* a rythmé le soir de mon enfance pendant des années. Trop d'années, car la douceur maternelle était un contrepoids essentiel au magnétisme qui émanait du grand homme noir — noir et bleu nuit comme les amples robes de chambre dans lesquelles il vivait, ne s'habillant que s'il devait sortir pour déjeuner ou aller à la réunion des Amis du musée du Louvre.

Par intermittence, apparaissait une adolescente au fin profil, au visage pur, dont on n'oubliait pas la souriante gravité : sa fille, Florence, dite Flo, l'aînée de nous tous. Elle vivait avec sa mère à l'autre bout de Paris ou plutôt, à l'autre bout du monde.

Qui, des habitants de Boulogne, ne sentait d'instinct que derrière ce voile de douceur, existait un arrière-plan de choses tristes et de vieilles douleurs qu'il fallait taire, surtout ne pas évoquer.

Sa mère s'appelait Clara, je l'avais appris de la mienne. Les deux fois où l'on entendit André prononcer son nom, sur ce ton mi-persiflant, mi-douloureux qui n'appartenait qu'à lui, ce fut pour dire : « Ça fera plaisir à Madame Clara ! » au sujet d'une contrariété qu'il venait d'avoir et aussi : « Madame Clara a écrit tous mes livres, je lui laisse les siens ! » Douze ans après, celui lui faisait encore mal.

Presque chaque semaine, Flo venait nous embrasser et un instant nous regardait déjeuner avant de passer à côté, dans le bureau paternel où l'attendait la table de bridge des repas de nos parents, son couvert mis à côté des leurs. Notre dernière bouchée avalée, nous passions devant le trio Lui-Elle-Flo, percions le rideau de fumée qui les baignait et, à regret, montions le plus lentement possible, en nous retournant. Nous aurions bien aimé la voir un peu plus et mieux la connaître... quand la reverrions-nous ? La semaine suivante sans doute, mais la question restait posée : ce ne fut jamais une habitude, seulement une joie furtive, prodiguée à dose homéopathique.

Dans une maison de musiciens, je veux dire de musiciens professionnels comme ma mère, ce qui frappe, lorsqu'on n'y fait pas de musique, c'est sa qualité de silence. Celle qui régnait à Boulogne était particulière, je m'en souviens avec précision : si ma mère ne se mettait pas au piano, on pouvait *écouter* cette sorte de silence qui favorise la réflexion, l'écriture, la méditation.

Ce qu'il y avait de plus frappant, dans ce lieu, ce qui le rendait si étonnant, c'était le signe de singularité sous lequel se plaçaient toutes choses.

On sentait les rares visiteurs anxieux de ne vouloir, pour le maître de maison comme pour les siens, donner que le meilleur d'eux-mêmes, à tous égards. Il n'y avait pas là seulement un calme, un ordre de circonstance ou de hasard : le luxe, la beauté, voire la volupté tactile des objets, des sons et des couleurs nous étaient dispensés à profusion, comme d'autres reçoivent leur becquée : naturellement.

Il suffisait d'aller à l'école pour faire la différence

avec la vie de nos camarades : elle était d'une autre essence, et il semblait qu'il ne pourrait jamais y avoir aucun point commun entre la leur et la nôtre. Comme ils vivaient mal !

Surtout, il fallait leur laisser ignorer cette différence, puisque tout portait à la croire irréductible.

Nous nous trouvions pourtant dans un aquarium éblouissant de lumières ; mais nous ne savions pas à quel point cet hôtel particulier cossu et précédé d'un jardin était voyant — et d'abord par sa laideur.

Dans cette bâtisse, à laquelle André trouvait quelque chose de « hollandais des années 20 », revêtue de briques et ornementée de bas-reliefs biscornus, découverte pour nous par la belle Suzanne Roquère à la Libération, on pouvait, par moments, nourrir l'illusion stupide d'être à l'abri, comme disent les braves gens. A l'abri de quoi ? Mais cette douceur à discrétion, cette résille protectrice, ce constant pouvoir d'accès au raffinement le plus exquis, le plus palpable, j'avais plus de chances que mes frères de les savoir menacés, en transit, périssables ; car rien ne m'était dû et je trouvais aux choses les plus habituelles de notre existence de chaque jour une saveur toujours plus neuve, perpétuellement renouvelée : moelleux de l'oreiller, douceur des draps, tiédeur de nos chambres, ombre rafraîchissante des stores à la saison chaude ou nuances des mets qu'on nous présentait, je n'en perdais rien. Bienfaisante précarité.

J'aimais aussi me préserver ; lorsque je fus sur le point d'avoir la varicelle, à la suite de Gauthier et de Vincent qui venaient de l'avoir l'un après l'autre, les ayant vus tellement souffrir de leurs démangeaisons, je me jurai de ne pas leur céder quand mon tour serait venu et, coûte que coûte, de ne me gratter en aucun cas — ce qui arriva : englouti sous le talc, je tins bon, et guéris vite.

C'est alors que je découvris la voix chaude de Marian Anderson chantant *Heaven, heaven* et *Were you there ?* : moi aussi, je crus toucher le ciel à force de réécouter ce 25 cm en 78 tours, dont l'étiquette « His Master's Voice » se détachait sur un fond bordeaux.

Son petit chien est à ce jour resté le seul de son espèce dans nos vies, étant tous indistinctement voués au chat, sans remède.

En y repensant, dans l'énorme fouillis de jouets que nous eûmes, il manque un chat : on devait, à raison trouver que notre trio suffisait à occuper la maisonnée sans y rajouter un animal.

Nous eûmes pourtant des cochons d'Inde, des poissons rouges et des tortues qui ont pour eux l'écrasante supériorité de ne miauler en aucun cas. Le petit chien de nos disques, je l'ai souvent revu en compagnie des deux double croches du *Columbia* d'Europe.

Reviennent à ma mémoire, parmi d'autres de cette enfance, les étiquettes de la *Danse des Morts* de Honegger et Claudel, offert par André à ma mère lorsqu'elle se fiança à mon père, la symphonie « Haffner » dirigée par Toscanini, *Petrouchka* dirigé par Stravinsky et Debussy par Gieseking. Tous m'invitaient à la paresse, au moment de me mettre au piano ; s'ajoutaient à ma nonchalance naturelle la faiblesse maternelle, l'attendrissement d'André et une facilité digitale évidente : aller faire des gammes et des exercices dans ces conditions n'est pas donné à tout le monde, et c'est ainsi que je ne suis jamais devenu un professionnel mais resté un aimable pianiste du dimanche. Ce que je deviendrais ? C'est là une question que, comme mes frères, je ne me suis posé que beaucoup plus tard que nos condisciples, puisqu'en somme, on ne nous demandait que d'être ce que nous étions : comme à des chats.

Spontanément, j'allais à l'école et j'aimais y aller,

mais ce n'était jamais que l'une des concessions que nous faisions à autrui, nous, les petits Malraux. Les autres, les pas-drôles (selon le mot d'André) — les enseignants, par exemple, je savais aussi bien que Gauthier et Vincent qu'on n'avait guère de respect pour eux, dans la citadelle moelleuse où je me dépêchais de rentrer à la fin des cours : chez moi. C'est en partie ce qui rendit la scolarité de mes frères épineuse, à certains moments critique ; on leur demandait un petit effort quotidien vis-à-vis d'éléments extérieurs à notre microcosme mais ceux-ci n'inspiraient nulle considération à André, alors à qui se vouer ? A tout le moins fallait-il avoir leurs dons pour passer d'une classe à l'autre. Vers les 8 heures et quelque, la voiture noire conduite par Robert, le chauffeur, venait nous déposer dans un cours privé d'Auteuil, institution libre mais sans caractère confessionnel, portant le titre original de : Petite Ecole Nouvelle.

Il me souvient d'un matin, et même de plus d'un où je vis, incrédule, ma mère monter en robe de chambre avec nous dans la Vedette pour aider Vincent à se décider à franchir le seuil de cet établissement : il fut convaincu et, pour un temps, alla en classe presque simplement. Animée par Arlette Lejeune, héroïne de la Résistance et sœur de Jean Effel, cette école était mixte et bien vivante, et plutôt moins bête que les autres, si je ne m'abuse ; ainsi, le jeudi matin y était consacré à découvrir tous les musées de Paris et ses beautés sous la houlette de Claude Thibaud, conférencière merveilleusement vivante. Aujourd'hui, il m'en reste des amitiés définitives — Eric et Viviane Godet, Irène et Nina Finey, et mes trois petites sœurs Christine, Laurence et Béatrice Schumann. Si je compare les enfants que nous étions à ceux de 1977 aux mêmes âges, une différence apparaît bien saillante : de nos jours, les enfants savent beaucoup de choses plus vite ;

mais ce surcroît de connaissances, notamment sur ce qui a trait au sexe, ne change pas grand-chose aux préoccupations qui leur sont propres, sans doute parce que le monde de l'enfance reste un monde bien distinct de celui des adultes.

Précisément, ce cloisonnement que l'on faisait tout pour rendre flou au trio que nous formions, je m'y cognais souvent comme à une vitre invisible que je voulais passionnément abolir. L'intervalle qui me séparait des parents me paraissait alors un abîme si infranchissable que lorsque j'y pensais trop longuement, je finissais par m'attrister.

En revanche, je me sentais proche de ma grand-mère (et, en général, des vieilles gens). Pourtant, le système de valeurs qui était le sien m'était absolument étranger, pour ne pas dire opposé.

Assurément, je voyais bien que cet hôtel particulier lui faisait grande impression, qu'elle en était assez contente pour sa fille ; mais je ne sentais pas moins que, d'une certaine façon, elle n'avait jamais tout à fait admis que ma mère, après la mort de mon père en déportation, cût épousé son beau-frère et élevé ses enfants avec le sien.

Cette situation était beaucoup trop particulière pour rencontrer son assentiment réel et elle ne le cachait que pour le chuchoter un peu partout, par exemple dans des oreilles enfantines comme les miennes. Son rêve, anéanti par la disparition de mon père et le remariage de ma mère, avait été de voir sa fille triompher dans une carrière de pianiste, laquelle avait à cet égard tous les dons requis et même davantage. Se souvenant de l'accueil qu'elle leur avait réservé, à Josette Clotis et à lui, au plus noir de l'Occupation, André, pourtant si sauvage, acceptait de fort bonne grâce que ma grand-mère vînt passer au moins un trimestre par an à la maison, parfois plus. Elle plantait mon grand-père dans l'appartement du 61, rue d'Alsace-Lorraine à Toulouse, et venait prendre l'air de Paris.

C'étaient de belles vacances pour lui, car il n'avait jamais renoncé à séduire : ils étaient alors aussi heureux l'un que l'autre de se quitter ! Pour moi, c'était également un grand moment, car j'avais un profond attachement pour elle, qui resta toujours une jolie vieille dame au teint frais, dotée d'yeux verts étonnants.

Malgré sa dureté, à la mesure des désillusions de sa vie conjugale, elle trouvait vis-à-vis de son petits-fils des trésors de patience, pour ne pas dire de faiblesse. Elle se plaisait, en outre, à entretenir en moi la petite flamme de masochisme qui toujours veille, et se perdait non sans une secrète délectation en maints détails pour me conter ce qu'un personnage de Colette nomme les mille-z-horreurs : des deux guerres, des catastrophes ferroviaires, aériennes et maritimes, des coups du sort qui avaient frappé tant des nôtres sans compter ses innombrables déboires avec mon grand-père, qu'elle ne lui pardonna jamais tout à fait, même plusieurs années après son veuvage.

Près de nous, elle retrouvait le goût des choses et ce prolongement d'elle-même qui pouvaient lui rendre son équilibre.

Sans être vraiment spirituelle, celle qu'André appelait quelquefois « la Mère » était malicieuse et riait d'un rien.

Autour de nous, on apercevait de loin en loin des visages inattendus. Brigitte Friang, rescapée de Ravensbrück où l'avait conduite son engagement à dix-neuf ans dans un réseau du B.C.R.A., m'apparut pour la première fois dans une blondeur passagère, flanquée d'une bicyclette dont elle tenait le guidon : je la trouvai jolie ; puis elle changea la couleur de ses cheveux. On savait qu'elle secondait André au R.P.F. pour ses relations avec la presse dans les moments où le mouvement de soutien du général de Gaulle mobilisait toute son ardeur pour porter la bonne parole à une France en proie à la terrible gueule de bois qui avait suivi l'ivresse de la Libération.

Le ton alors le plus répandu était celui d'une guerre civile larvée et beaucoup de gens parmi les mieux blanchis semblaient prêts à en découdre. Ainsi, derrière le bureau auquel travaillait André, le dos tourné à la fenêtre, par une belle fin d'après-midi d'été, une balle siffla et vint trouer le volet métallique qui, désormais, en porta la cicatrice. De qui venait-elle ? Difficile à dire ; mais qui elle visait, vous m'avez compris. Le trou ne fut pas réparé et lorsque, quinze ans plus tard, nous avons dû quitter Boulogne, il y était encore.

Des forces obscures qui me paraissaient mauvaises guettaient les miens et firent naître en moi à l'âge le plus tendre l'étrange besoin de les protéger — de quoi ? Des lettres de fous, des menaces qui parvenaient régulièrement jusqu'à la maison, et me confirmaient dans cette irréelle vocation. André, par ailleurs si vulnérable, y semblait peu sensible. Lorsqu'il ne parcourait pas la France pour ferrailler avec ses amis de l'avant-veille, il écrivait tout le jour, et comme il s'agissait essentiellement de ses essais sur la création artistique, on le voyait se livrer à une chirurgie particulière, à grand renfort de ciseaux et de colles qui devaient permettre le montage de sa *Psychologie de l'Art,* avant celui des *Voix du silence.*

Ce qu'il faisait de plus charmant, c'était d'associer ma mère à l'élaboration de ces maquettes en la consultant sur le choix du détail à isoler, de la photo à retenir ou de l'éclairage le meilleur.

Il lui arriva même deux ou trois fois de demander l'avis de la petite classe et de chacun de nous en particulier : rien ne pouvait nous flatter davantage que de pouvoir émettre une petite opinion relative à ses travaux, surtout pas ces prix d'excellence ou ces tableaux d'honneur dont l'annonce illuminait les visages des plus méritants de nos camarades d'une joie aussi stupide qu'incongrue.

Il faut souligner que ma mère fut, quant à cette partie de son œuvre, sinon son *alter ego,* du moins sa plus proche collaboratrice ; pendant des années, je l'ai vue zigzaguer trois fois par semaine de chez Doucet à chez Galignani en passant par la librairie Gallimard ou chez Buloz pour choisir les livres d'art qui recélaient la précieuse moisson. Ensemble, ils quittaient Paris pour entreprendre des voyages culturels à travers l'Europe et l'Asie mineure, sans compter le Maroc, l'Egypte, et, en 1953, New York.

Ces départs furent, soit dit sans exagération, les plus cruels moments de mon enfance ; quitter ma mère ou être quitté d'elle me semblait un adieu à la vie : rentrerait-elle jamais ?

Je commençais à en douter environ l'avant-veille de son départ et cela s'accentuait au fil des heures ; quand arrivait l'instant de se séparer, c'était un déferlement de larmes. A travers elles, je n'entrevoyais aucune possibilité de m'arrêter. Aux pleurs succédaient d'autres pleurs par milliers et je restais sourd aux divers membres de la maisonnée qui tour à tour se relayaient pour me prodiguer leurs tentatives d'adoucissement sans rien obtenir de moi qu'un peu plus de liquide salé. Je me voulais inconsolable ! Après un temps qui me semblait infini, je finissais par me calmer et me jetais sur une plume et un bloc de papier pour écrire à ma bien-aimée, déjà posée à Palmyre ou à Marrakech. Je refusais d'admettre que, pendant toute la durée de cette absence, je mangeais de fort bon appétit et suivais mes cours avec plus d'assiduité qu'avant ce départ. Sûrement, je resterais orphelin...

Las ! Le grand jour arrivait et c'était le plus beau

de l'année : le retour, *son* retour, la résurrection à un rien près.

En dehors des crabes et autres arachnéidés, et de la méchanceté, que je redoute encore lorsque je la sens bien organisée, j'étais terrorisé par les curés... qui n'existent plus ! Du moins en soutane.

En fait, lorsque j'avais quatre ans et quelque, ma nurse avait mis à profit un petit séjour à Toulouse pour persuader ma grand-mère et ma tante de me faire baptiser — mais à l'insu de ma mère.

Souvenir précis : de retour à Paris, je racontai à ma mère que, loin d'elle, dans le Midi-moins-le-quart, on m'avait, par une chaude journée, emmené dans un endroit bien frais et encore plus sombre, que j'y avais vu un grand homme en robe noire — à moins que ce ne fût une femme à la voix grave, et presque chauve ? — me dire des choses incompréhensibles avant de mettre du gras à mon front, du sel sur ma langue et de l'eau à hue et à dia. En ajoutant que sur les marches de ce lieu enveloppé de mystère, juste avant de rentrer chez Bonne-Maman par la rue de Rémusat où je lorgnais toujours de petites tortues d'eau à la devanture d'un marchand de bestioles, le personnage noir m'avait pris dans ses bras et embrassé chaleureusement en me recommandant avec insistance de ne jamais en parler à Maman. A l'issue de mon récit, qui ne devait pas manquer de pittoresque, ma mère conclut : « Donc, on t'a fait baptiser ! — Oui, je crois que c'est ça », lui dis-je. Peu contrariée, je l'entendis faire ce commentaire à la principale intéressée : « Tout de même, Juliette, la prochaine fois que vous ferez baptiser Alain, prévenez-moi ! » André laissa seulement tomber : « Que deux épaules ! » (à hausser).

Aussi, lorsque notre ami si cher le père Bockel venait de Strasbourg voir les parents, dès que j'apercevais sa soutane au bout du jardin, je cherchais le gîte le plus obscur du logis pour m'y blottir et songer aux duretés de l'existence.

Beaucoup plus tard, la foi m'est venue, d'une façon bien à moi. Je suis le premier à trouver cela étrange, mais à tout prendre, cela me paraît plus étrange encore de pouvoir vivre sans l'avoir.

Curieusement, je l'ai. Une mômerie, peut-être ? Mais alors bien inoffensive pour autrui. Ce que je crois, et qu'André a tant contribué à faire naître — de même qu'il a confirmé à la fois René Andrieu dans sa conviction profonde de communiste et Pierre Bockel dans son adhésion au Christ — ne s'encombre guère de ces rites rassurants qui ponctuent la vie des bigots. Ma conviction est pascalienne et nue, franchement irréductible à une explication rationnelle et beaucoup plus « galiléenne » que catholique, protestante ou orthodoxe. Encore que je devine autant la sensibilité orthodoxe que l'exigence protestante ou l'aspiration catholique à l'universel. Non, la foi que je fais mienne, c'est celle qui fait dire au curé de campagne de Bernanos à l'agonie : « Qu'est-ce que cela fait, puisque tout est grâce ? »

Je n'en étais pas là, dans mes classes, lorsque surgissait la rubrique religieuse. Avec une fierté déconcertante, chacun y professait les mérites de la pratique de sa religion, la quasi-unanimité des présents se faisant sur la sainte Eglise catholique, apostolique et romaine. Il y avait bien un garçon blond pour dire qu'il était protestant et un autre pour se déclarer juif. Si l'on me demandait ce que j'étais, je ne pouvais que répondre : rien. Un jour, un autre ajouta : moi aussi ; mais il s'appelait Bloch, et je savais, moi, qu'il n'était pas « rien ». Comment ? Je l'ignore. Un peu plus tard, j'en ai encore honte, je lui dis paisiblement sur un ton neutre qu'il était juif et qu'un jour, il le saurait... Hélas ! Je ne risque pas de m'être trompé.

Les nurses avaient enfin fait place nette. Après le renvoi de Juliette, il y avait eu deux Simone. La première n'était ni vilaine, ni déplaisante, mais son goût des absences prolongées signa sa perte.

Une nuit où, plus ou moins fiévreux, je lui demandais secours, je ne trouvai que son absence. Obstiné, je l'implorai inlassablement — Simooone... A force de le redire indéfiniment dans le vide, ce prénom devenait à lui seul une litanie incantatoire, psalmodiée de façon monocorde. Aux premières lueurs de l'aube, je vis avec soulagement ma mère s'asseoir à mon chevet. Une dernière fois, repris par l'entêtement de ma ritournelle à deux syllabes, je soufflai l'écho devenu purement mécanique qui renvoyait à l'absente Simooone : elle apparut par l'autre porte, sa silhouette agréablement découpée sur celle d'un géant noir. Exit.

Lui succéda son homonyme prénominal, demoiselle de X... que je ne tardai pas à rebaptiser Gros-sel, à l'hilarité de mes frères.

De sa jupe dépassait une dentelle de combinaison pistache qui me paraissait superbe au point qu'il me fallait constamment réfréner l'irrésistible envie de la tirer pour voir davantage de ce beau vert et de ce qu'il dissimulait. Avec Gauthier et Vincent, j'exerçai mon espièglerie à inventer sur le papier quadrillé de nos cahiers d'écoliers un appareil fabriqué à l'aide de gros volumes et d'un tout-puissant élastique surnommé par moi le Contre-poitrine et destiné, en le contenant, à comprimer son volumineux avant-train.

A Villars-de-Lens, nous eûmes des fous-rires jusqu'aux sanglots en imaginant Gros-sel nantie de sa prothèse pour dévaler des pentes de 2,50 m à skis ! Et à Paris, lorsque, pour changer, nous n'allions pas au Guignol des Tuileries ni à celui des Jardins des Champs-Elysées, mais au petit enclos du Ranelagh, notre gouvernante, dont la disposition à l'anglaise de ce petit parc favorisait mieux les escapades que les allées tracées au cordeau qui longent la rue de Rivoli, ne dédaignait pas de se perdre dans quelque fourré où le chauffeur devait parfois aller la repêcher entre chien et loup, rajustant corsage et dessous à la hâte. Simone aimait le grand air. Au Lavandou où je me trouvais seul avec elle à la fin d'un été, il lui arriva de me laisser toute une journée bouclé dans la chambre d'hôtel jusqu'à ce que, vers 6 heures, la préposée à l'étage vînt enfin faire le lit et me délivrer. Par la suite, elle fit de nouveau des siennes.

Un après-midi, nous fûmes tous deux surpris par un orage d'une rare violence : pas de taxi en vue, aucun autobus, et le métro ne nous rapprochait guère. Déjà réduits à la condition de serpillières hors d'usage, nous nous réfugiâmes après une course interminable dans la sacristie d'un édifice en briques de la rue Molitor, au pied d'un moine grandeur nature en faïence vernie d'une laideur exceptionnelle, dont il fallut endurer la vue jusqu'à ce que la permanente supposée « indéfrisable » de Gros-sel fût tout à fait sèche : je rentrai avec une fièvre oscillant entre 40 et 41° et une congestion pulmonaire à complication dont seuls les antibiotiques expédiés des Etats-Unis, grâce aux soins vigilants du professeur Debré et du fidèle docteur Jacob, ancien de la brigade Alsace-Lorraine, vinrent à bout. Il fut décidé ensuite de nous fourguer à Saint-Honoré-les-Bains où Vincent et moi serions en cures diverses.

De loin, les parents nous avaient envoyé une gigantesque boîte de bonbons dont Gros-sel engloutissait le plus clair, en distribuant un par jour à chacun de nous à la seule condition d'avoir été bien sages.

La rébellion qui grondait depuis longtemps éclata enfin, nous soudant en un triple mécano dont Gauthier était la base, Vincent le milieu et moi la tête chercheuse. Au moment même où je parvenais à m'emparer du butin convoité, juché tout en haut d'une armoire, notre gouvernante s'engouffra dans la chambre avec sa brusquerie habituelle et, d'émotion, la vivante machine s'effondra, les bonbons allant éclabousser la pièce entière. Du coup, Gros-sel garda ce qui restait du cadeau exclusivement pour elle. Résolu à nous venger, Vincent alla trouver le coiffeur dès le lendemain et réussit à le persuader de le raser comme un bonze ; de retour à l'hôtel, il se planta effrontément devant notre ogresse qui ne put que le dévisager avec effroi, n'en croyant pas ses yeux. Pour faire bonne mesure, Gauthier se fit piquer méchamment par un frelon et l'on vit sa main enfler d'heure en heure, la veille de l'arrivée des parents... Ils nous apportèrent de ravissantes petites charrettes siciliennes en bois peint, ornées d'attelages parfaitement proportionnés, chamarrés de minuscules plumes aux couleurs vives. A Paris, Gros-sel fit sa malle : cette délivrance fut fêtée par de nouveaux albums de *Babar*. Celle qui vint deux ans plus tard n'avait rien de commun avec elle. Il était entendu qu'il ne s'agissait plus du tout d'une gouvernante mais d'une personne chargée à la fois de nous transmettre les premiers rudiments d'anglais et de nous familiariser avec ce qu'il est convenu d'appeler les bonnes manières : Joan Dalrymple. La malheureuse ! D'origine galloise, cette jeune fille mince et vive alliait une vraie culture historique et littéraire de son pays à une connaissance très approfondie du français, qu'elle parlait beaucoup trop bien pour notre fainéantise : de fait, elle valait mieux que ce qu'elle était censée faire parmi nous, bien qu'elle personnifiât aussi la distinction britannique. Son talent, elle ne l'employait qu'irrégulièrement : comme pas mal de ses compatriotes, Joan était une actrice née, et son fiancé m'emmena plus tard à la cité universitaire où se donnait le *Julius Cesar* de Shakespeare ; elle y était Portia avec un naturel et une aisance qui me frappèrent. De temps à autre, elle se laissait entraîner par des amis anglophones pour jouer une pièce de Oscar Wilde ou de Tennessee Williams, mais elle ne se prit jamais assez au sérieux pour persévérer. Joan ne s'en laissait pas conter facilement et l'atmosphère de la maison lui parut vraiment trop organisée, trop axée sur le maître de maison. Ce qui, après un coup de sympathie d'André pour elle, qui lui avait valu d'accompagner les parents dans un voyage à Londres, suffit à le détourner d'elle à la seconde observation faite sur notre éducation, ou plutôt sur le laxisme qui en était la philosophie. Elle n'en continua pas moins à venir régulièrement nous voir, faisant preuve d'une fidélité inaltérable.

Dans notre école, les visites de musées et de monuments n'étaient pas la seule nouveauté : nous partions aussi à la neige, chose moins banale qu'aujourd'hui où ces possibilités jalonnent la scolarité des enfants. La Petite Ecole prenait ses brefs quartiers d'hiver à Argentières, proche de Chamonix.

Au retour d'une matinée de ski et de luge, il arriva qu'un garçon qui était mon aîné s'arrête à la croisée de chemins enneigés marquée par une grande croix à laquelle un corps torturé tentait vainement de s'arracher ; ce garçon me dit, en le désignant : « Tu vois, il est mort pour nous, pour toi aussi. » Sa remarque me révolta, n'ayant demandé à personne de mourir pour moi.

Pourtant, j'éprouvai une culpabilité subtile, inédite ; sourdement j'imaginai que certains êtres donnent leur vie pour les autres, pour un idéal, ou pour quelqu'un : en étions-nous tous comptables ou seulement une poignée d'entre nous ? Le trouble qui m'empoigna mit longtemps à s'atténuer. A la maison, dès notre retour, j'abordai le sujet avec celui que j'appelais Papa. Assez souvent, lorsqu'une idée, une question se présentaient, il démarrait en flèche : preuve, alors, de son degré personnel d'implication. Il m'expliqua ce que croient les chrétiens, précisant que « pour nous » — ô merveille, sublime illusion que ce « nous » ! — c'était là un bagage que l'on pouvait contester une vie durant mais en aucun cas ignorer. Il fit l'impossible pour m'inoculer le sentiment que j'étais libre, absolument, de croire comme eux ou autrement, ou encore de ne pas croire du tout, soulignant que je devais me sentir non moins libre de faire ma communion privée comme mes camarades de classe si j'en avais envie, comme de m'en abstenir.

Cette gamme d'hypothèses, cette faculté de pouvoir choisir m'intéressa vivement, me flatta, et pour finir, me terrorisa : ce que je recherchais, c'était une certitude, et la seule qu'il m'offrait était que j'avais le droit de m'interroger, nul ne détenant la réponse.

Pas même lui. Cette générosité de l'intelligence, cette profusion de libres examens toujours repris, et destinés non à rassurer ou à convaincre, mais à *éclairer* chaque fois que c'était faisable, je crois ne les avoir jamais retrouvées en qui que ce soit à ce degré de naturel. Ceux qui l'ont entouré jusqu'à la fin de sa vie attestent qu'il en fut ainsi même à l'hôpital où il parvenait encore par instants à faire abstraction de sa condition présente jusqu'à ce que le coma le séparât d'eux sans retour.

Cette multiplicité d'expositions de points ou d'angles de vue — en trois mots : cette constante liberté de l'esprit m'a gâché, par la suite, beaucoup de ceux qui font profession d'intelligence et, malgré leur savoir, m'ont trop souvent frappé par leurs œillères et ce qu'elles trahissent d'irrémédiablement sec et de manque d'imagination. Par leur puissance d'ennui, également.

Pour lui, au demeurant, les gens d'esprit ou nommément désignés comme intellectuels ne l'intéressaient guère plus que les autres : seules le préoccupaient sans répit, sans relâche, les idées et plus précisément les idées suggérées par les arts plastiques et l'écrit.

Qu'il s'agît d'une intention à débusquer au second plan d'une toile de Vermeer ou d'une implication soulignée par la césure d'un alexandrin, d'une référence apocryphe et donc utilisée à tort par tel essayiste et reprise par tel autre, il était en même temps extraordinairement présent et « harponné » (selon son mot) en avant, à la fois là et loin de là, convoquant d'une fièvre impérieuse les puissances recelées par les textes et les œuvres et les faisant sourdre l'une après l'autre pour les mener encore plus avant à travers des cataractes d'images, suscitant à voix haute une maïeutique à son propre usage comme à celui de « ce monsieur qui passe », pour citer la phrase que Musset a mise sur les lèvres de Fantasio et qu'il aimait entre toutes : ce monsieur qui passe, flâneur, hôte de passage, vous ou moi (et moi). Et nous en faisant cadeau... Où que tu sois, je t'en remercie sans fin.

Le précepte du colonel Lawrence selon lequel le meilleur moyen de communiquer avec les enfants est de s'adresser à eux comme à des adultes, il l'avait fait sien et s'efforçait de nous l'appliquer.

En tout cas, il le citait chaque fois que nous avouions avoir du mal à le suivre : ce qui, certes, était fréquent mais moins qu'on ne pourrait le croire dans la mesure où sa démarche, sa tournure d'esprit si singulières, si elliptiques qu'elles fussent, nous les respirions et les vivions comme un élément faisant partie intrinsèque de la vie et non comme des messages ou des propos exceptionnels accordés à quelqu'un sur rendez-vous. Aux repas dominicaux, nos questions fusaient et la jalousie, la vivacité enfantines venant s'en mêler, il lui fallait souvent nous rappeler à plus d'ordre par un « du calme ! » ou : « Qui a posé la question le premier ? » L'expérience vécue de ces années auprès de lui me porte à croire que notre avidité à saisir la signification de la moindre nuance d'un mot ou d'une anecdote, d'un vers ou d'une histoire répondait assez à son goût forcené de l'exploration — et de la dramaturgie : car nous étions aussi les figurants d'une mise en scène permanente, celle de son imagerie quotidienne. Avions-nous l'importance d'un tableau ou d'une sculpture ? J'en doute. Mais par compensation, nous avions, nous, l'immense privilège de pouvoir redemander à satiété à réexaminer à sa loupe les maillons qui manquaient pour reconstituer les explications reçues au déjeuner de la semaine précédente, ayant aussi l'innocence des enfants qui n'est pas celle qu'on croit, mais l'autre nom de la sincérité : « Pourquoi tu as dit ça ? J'ai pas compris ce que tu voulais dire à ce moment-là. » Et il faisait montre, à ces jeux, d'une patience bien louable pour un homme dont ce n'était pas la qualité maîtresse, avec cette nature portée par une constante fièvre de la réflexion. Il est vrai qu'à ses côtés, ma mère était l'exemple même de la mansuétude et de la maîtrise de soi dans la douceur.

D'où ces phrases qu'il m'adressait, commençant par : « Ta sainte mère. »

Gauthier était d'une timidité farouche, parfois ombrageuse, et Vincent franchement taciturne. Alors que j'étais joyeusement cabotin, décidément prêt à plaire et à me lier d'amitié à tout moment. Plus encore, résolu à me faire aimer.

André, quoique soucieux de cloisonner vie sociale et vie de famille, nous préférait tout de même souriants.

Pendant que pénétraient dans la grande pièce Oppenheimer ou Balthus, Victoria Ocampo ou Edgar Varese, je dévalais l'escalier pour aller au-devant de ces nobles étrangers, déployant mille grâces de gourgandine en herbe, alors qu'au même moment, mes frères se cloîtraient dans leurs chambres, le visage clos, fuyant l'intrus.

Je l'ai dit et le redirai : par intermittence, la magie de ce cadre somptueux s'évanouissait, d'une façon imprévisible et soudaine.

Encore très petit, j'appris de ma mère que ma petite amie de goûters Emmanuelle, stupidement surnommée Chipinette par notre nurse imbécile alors qu'elle était l'enfant la plus délicieuse que j'ai connue, était malade ; c'était la seconde fille de Suzanne et Raymond Aron, l'aînée Dominique étant la meilleure amie de Flo.

Lorsque je demandais de ses nouvelles, ma mère devenait toujours plus évasive, et je la sentais mal à l'aise. Jusqu'au jour où il fallut me dire... Je n'avais jamais vu de larmes sur le visage maternel mais cette fois, malgré toute sa volonté, elle ne put prononcer un mot : seulement pleurer en silence. Et je sentis en me blottissant contre sa robe de chambre que je ne jouerais plus avec Emmanuelle, jamais. Le 18 juin, une semaine après mon anniversaire, reste pour moi le sien avant d'être cette date aujourd'hui révérée dans les manuels d'Histoire de France à laquelle, chaque année, André/ Papa m'emmenait au Mont-Valérien pour assister à la cérémonie commémorative de l'Appel gaullien et à l'hommage rendu aux fusillés du fort. Pour un enfant aussi émotif que moi, c'était l'expérience d'autosuggestion la plus proche de ce à quoi prétendent les tenants de la nécromancie, jusqu'au vertige. Se mettait à tourbillonner dans ma tête un kaléidoscope de fantasmes de mort, d'images de massacres et de bombardements sur lesquels venaient se greffer les terrifiantes petites phrases inachevées de ma nurse concernant le sort de mon père, qu'elle finissait invariablement par mettre en doute... Et s'il était vivant ? Si l'on s'était trompé — Si TU revenais — TU vas revenir ?

Malgré l'angoisse de ces questions, l'intensité de ce

télescopage, je parvenais à la garder pour moi, crispant les poings pour l'étouffer.

Il faisait toujours beau, ce jour-là, et je partais seul entre les parents, Gauthier et Vincent restant à la maison.

André accrochait à ma chemisette la médaille de la Résistance à laquelle, à titre posthume, mon père avait eu droit — mais pas mon oncle Claude, exécuté à vingt-trois ans. Porter cette décoration avec ce tourneboulis trottant dans ma tête était lourd, car peut-être étais-je en train d'usurper un honneur dont je n'étais pas digne ?

Les années de traversée du désert du général de Gaulle rendaient cette fin d'après-midi infiniment plus émouvante qu'après son retour au pouvoir. Au sein d'une assistance aussi clairsemée, la sonnerie aux morts était déchirante — n'y avait-il donc pas plus de Français pour se souvenir ? Lorsque le cortège des Compagnons de la Libération disparaissait dans la crypte, je me sentais vaciller ; en sens inverse de ma question précédente, tenue secrète elle aussi, une autre interrogation m'envahissait : puisqu'ils allaient voir les morts, reviendraient-ils parmi nous, à la lumière ? Finalement, oui, *eux*.

Est-ce en 1954 ou l'année précédente que lors d'une date commémorative, le général de Gaulle fit une exception autre que celle du 18 juin pour aller s'incliner devant la flamme de l'Etoile ?

Les parents m'emmenèrent avec eux et, comme n'importe quel passant, André suivit *la* voiture derrière les barrières métalliques.

Persiflant, un flic à pèlerine vit la médaille de la Résistance posthume de mon père qu'André avait accrochée à mon chandail et m'apostropha, mélange de haine et de mépris : « T'étais résistant, toi ? » tandis que j'étais en retrait derrière les parents ; je me sentis devenir écarlate, incapable d'articuler un mot, fût-ce celui de Cambronne.

A la maison, je le racontai, honteux ; André me dit, évidence, que j'aurais dû lui répliquer que non, mais que mon père l'était, lui.

Vers huit ou neuf ans, la lecture des bandes dessinées qu'offraient *Spirou* et *Tintin* me rapprocha de l'Histoire, les deux magazines pour enfants contenant les aventures de héros appartenant à des mondes aussi différents que le Moyen Age, le Far-West, l'Inde, la Belgique des années trente ou l'Amazonie. Celles de l'esclave gallo-romain qui, ces temps-ci, connaissent un revenez-y, Alix l'Intrépide, toujours prompt à secourir la veuve et l'orphelin, m'enchantèrent au point de me convertir à l'Antiquité. Ses pas me firent voir bien des pays et voyager loin dans le temps à travers des civilisations distantes de plusieurs siècles. Ce qui ne pouvait déranger personne dans l'entourage de qui nous savons. Alix alla de Khorsabad à Rhodes avant de se faire naturaliser romain sous la protection de Jules César et de retourner en Gaule.

Dans l'album suivant, *le Sphinx d'or,* l'Egypte des pharaons m'ensorcela, comme le dénouement du *Mystère de la grande pyramide* de E. Jacobs : voilà qui n'était pas pour déplaire à notre Papa si familier des mondes disparus qu'il faisait dialoguer entre eux et avec le nôtre, à travers les millénaires, comme en jouant.

Née de la fréquentation assidue de mon héros, dont *Tintin* nous consentait un épisode par semaine, ma passion des Latins, Grecs and Co. me conduisit à demander qu'on nous taille des tuniques.

Au grand dam de mon aïeule, persuadée que le vert apportait non l'espérance mais le malheur, Vincent commanda la sienne en un bel émeraude satiné ; la mienne fut sang-de-pigeon. Gauthier était souvent séparé de nous par une différence d'âge qui, pour mince qu'elle fût, paraissait importante en ces années : dans les « verts paradis » de l'enfance, on sait que quelqu'un qui a « six mois de plus que nous : il est vieux ». Aussi, lorsque Flo lui fit cadeau d'un énorme casque de soldat grec en carton-pâte redoré, bien qu'il fût à la dimension d'une tête d'homme adulte et donc impossible à mettre, ce fut mon tour d'être jaloux et mal à l'aise.

Vint le jour où l'on nous jugea en âge de pouvoir nous intéresser aux classiques. Nous allâmes à la Comédie-Française voir *Britannicus ;* Marie Bell y incarnait Agrippine avec une autorité magistrale, accablante pour son fils-empereur : je fus subjugué.

N'arrivant pas à trouver le sommeil, la nuit qui suivit, je pensai que je ne pourrais devenir que comédien. Mais cette vocation subite fut mort-née, car elle ne rencontra qu'une indifférence intégrale chez les parents.

Cependant, c'est de ce mercredi soir, entre les larmes de Junie et le mises en garde de Burrhus, que date mon amour du théâtre, qui ne s'est jamais démenti. Surmontant son peu de goût pour ce genre, pourtant intéressé par la tentative de théâtre populaire de Jean Vilar qu'il appréciait beaucoup, André nous incita à suivre ses matinées classiques de préférence à celles du Français.

Nous réussîmes parfois à le traîner jusqu'au Palais de Chaillot ; il aimait vraiment le jeu de Vilar — « C'est : un qui parle juste » — admirait depuis les *Enfants du paradis* Maria Casarès en qui il n'oubliait pas la fille d'un ministre de la République espagnole assassiné, et plus encore Alain Cuny dont le timbre, dans sa mémoire auditive, était seul à faire écho à celui du grand Yonnel, qui avait ponctué son adolescence. Mais notre idole du *Prince de Hombourg* et de *Loren-*

zaccio, Gérard Philipe, ne le toucha jamais — « Il parle faux, comme Jouvet. Quant à la beauté de son visage, et de rire ! Si je pense à ton père... » Il le détesta dans *Ruy Blas,* l'une des passions de son enfance, avec *Cyrano de Bergerac.* Moi, je fus exaspéré par les atermoiements de la Reine, Gaby Silvia. Lorsque tomba le rideau sur le désastre du dernier acte, j'explosai d'un ça-lui-fera-les-pieds-à-la-Reine qui le fit *rire,* événement de sa part.

Cette phrase pourtant si anodine lui resta comme un mot d'*anticlimax* et je ne cessais jamais d'être stupéfait quand, douze ans plus tard, je la réentendais dans sa bouche, détonnant de sa veine gouailleuse avec des propos tenus sur le destin du monde.

Farouchement cornélien, il se fit un devoir de chef de famille (!) de conduire la sienne à la salle Richelieu pour revoir *Horace* où Yonnel, toujours lui, procura au grand homme une émotion profonde par son « Que vouliez-vous qu'il fît contre trois ? — Qu'il mourût. » dans un souffle admirable de relief.

L'apparition du procédé mis au point par Henri Chrétien sous le nom de cinémascope ne fit qu'amplifier nos aspirations à l'antique. Auparavant, nous avions beaucoup palpité au *Samson et Dalila* de Cecil B. de Mille qu'André avait refusé de voir, retenu par Jean Grosjean.

Le premier film que permit cet agrandissement de l'écran s'appelait *la Tunique :* péplums, regards appuyés vers les cieux, Bible au rabais, rien, vraiment, ne manquait au jeune premier, Richard Burton, centurion au cœur pur, pour finir au pied de la croix par se faire baptiser à l'eau de rose dans une apothéose d'images pieuses.

Le regard glycériné, le sourire apostolique et les muscles proéminents de Victor Mature s'y trouvaient-ils ? Il me semble.

Toujours est-il qu'ils se rencontraient, Susan Hayward, rousse pulpeuse des *Gladiateurs*, et lui, avant la sortie du troisième navet géant, *Sinuhé l'Egyptien*, qui permettait de revoir la divine Gene Tierney, notamment au cours d'une chasse au lion spectaculaire ; je n'avais rien approché de plus beau que cette machinerie découverte en version originale dans l'atmosphère parfumée à bon marché de l'énorme « Normandie ». Décidément, l'Antiquité nous poursuivait. Pour nos anniversaires, pour tous nos jours fêtés, nous demandions de nouvelles pièces destinées à enrichir nos collections de soldats peints à la main, que l'on trouvait seulement au « Plat d'Etain » près de Saint-Sulpice. Offert au retour des sports d'hiver sur un quai de la gare de Lyon, le char d'apparat de Ramsès II marque une des illuminations de cette enfance.

Ma mère et André (surtout lui qui ne nous y accompagnait jamais) n'allaient que rarement au cinéma. Il se dérangeait pour Bresson, ce qui donne le rythme approximatif de ses dérogations à ce qu'il appelait ses chères études. *Belle de nuit* de René Clair leur rappela les clairières d'insouciance d'avant la guerre et, comme nous, il fut quelque temps sous le charme de Lollobrigida.

L'été 1953, tandis que Gauthier et Vincent séjournaient à Hyères chez leur grand-père maternel dont ils étaient le réconfort, je suivis les parents à Lucerne. Dès lors, j'aimai, j'adoptai cette Suisse alémanique. Tribschen et les cygnes, les bateaux blancs à aube, l'idée que Toscanini, dont je possédais un petit 45 tours, avait dirigé *Siegfried-Idyll* dans ce cadre aux premiers festivals de 1938 et 1939 me plongeaient dans des rêveries sans fin. Déjà rétro.

Ma grand-mère vint nous retrouver à l'hôtel des Balances, dont la façade était revêtue de fresques naïvement historiques face à une fontaine polychrome.

A ses terrasses, posées directement au-dessus de la Reuss, je prenais mes dîners en tête à tête avec elle, ébloui par l'aspect baroque de l'église des jésuites qui nous faisait vis-à-vis exactement de l'autre côté de l'eau.

L'année suivante, à la même saison, prit place, pour couronner ma première décennie, un voyage, non : un envoûtement absolu.

Aux premiers jours de juillet, dès la fin du dernier trimestre, les parents, Flo et moi prîmes le train pour nous réveiller à Florence. Nous allâmes à l'hôtel Minerva, le père de famille fuyant les trop jolis souvenirs du palace où il était descendu avec Clara, trente ans auparavant. Parce qu'il y avait été si heureux avec elle, sa hantise d'établir une cloison prophylactique entre les neiges d'antan et la neige fraîche le condamnait à ce choix.

Dans l'exposition qui avait été le prétexte de ce déplacement, il fut pris au cœur par un vitrail de Paolo Uccello, le seul qu'on lui connaisse, une *Résurrection.* Voir sa jubilation à le contempler, le détailler et le recomposer pour mettre en œuvre ce qu'il confierait à sa page d'écriture *sans même le vouloir,* comment l'oublier ?

De palais en églises, de jardins en couvents, de collines alentour en échappées inattendues vers l'Arno, de terrasses en musées, nous nous gorgeâmes tous les quatre, attentifs jusqu'à la délectation. Puis nous louâmes une voiture pour parcourir la Toscane — Pise, Piero della Francesca aux murs d'Arezzo, San Gimignano et sa suite de campaniles, Lucques, Pistoia. Et Sienne, la plus belle conque italienne, où le petit déjeuner fut enivrant, à l'aurore. Jusqu'à l'Ombrie, jusqu'à Assise, où la lumière joue avec peut-être encore plus de subtilité, de suavité diaphane.

La beauté de ce périple, je ne l'ai pas retrouvée ailleurs, où que ce fût. A la mélancolie de voir Flo prendre une autre direction succéda Venise que je n'évoquerai pas, sauf pour parler de Liliana Magrini, Vénitienne pur-teint, alors très liée à notre délicieux Louis Guilloux qui aurait dû y être et nous fit défaut ; elle était déjà la traductrice attitrée d'André pour l'Italie. Sa présence dans ce deuxième conte de fées fut grande. Elle était en train de mettre la dernière main à un roman retenu par la N.R.F., que Camus aima : *La Vestale.* Comme son étonnant *Carnet vénitien,* il était écrit directement en français. Un français plus-que-parfait comme il n'en existe que chez des étrangers, pur de toutes nos facilités de langage, tel celui de Victoria Ocampo. Ce *Carnet* reste le grimoire le mieux fait pour suggérer un itinéraire secret à ceux qu'une prédestination voue à Venise. A travers cette nouvelle féerie, Liliana mit une pointe de génie à nous faire partager sa ville natale, tout autre que celle des touristes. Même André vit par ses yeux des choses nouvelles, alors qu'il y était en familier des lieux. Je nous revois pâles d'envie à l'évocation de cet hiver 34 où, petite fille, notre amie avait vu non seulement les canaux mais la lagune presque tout entière prise par la glace : imaginer les gondoles prisonnières et, qui sait, côtoyées par des traîneaux, c'était voir Saint-Pétersbourg descendue à Venise...

Rendu à l'hexagone, j'arrêtai ma décision : quand je serais grand, je me ferais naturaliser italien, malheureusement pas vénitien puisque, là aussi, notre petit Corse avait fait des siennes en mettant fin à la Sérénissime. Il est vrai qu'il avait voulu essayer de se racheter en définissant la place Saint-Marc comme le plus beau salon du monde. Ce qui, pour être juste, ne m'empêche pas de lui en vouloir.

L'idée d'offrir un prolongement aux *Voix du Silence* s'était, depuis Lucerne où elle était née, imposée à leur créateur.

Guidé par l'étoile d'un nouveau titre, *la Métamorphose des dieux,* il se remit au travail. Celui-ci devait lui donner plus de peine que tous ceux qui l'avaient précédé. Pour rendre sa gestation moins lourde, pour égayer le démiurge, on l'appela la « Méta ».

Malgré deux excursions faites l'une chez les petits soldats pour la préface au livre du général Jacquot sur la stratégie de l'Occident, l'autre dans la Révolution française pour *Saint-Just ou la force des choses* d'Albert Ollivier, son champ de réflexion restait avant tout axé sur l'univers des formes et des couleurs. Cette opiniâtreté à la tâche, cette application, dans le sens positif du terme, cette persévérance dans la recherche d'éléments et de précisions d'ordre éthique ou esthétique destinés à nourrir le nouveau fruit le tenaillaient : c'était sérieux, souligna-t-il.

Les moments de grâce dominicale qu'il entendait nous réserver, parfois ravi de le faire, le plus souvent en prenant trop visiblement sur soi, il m'était plus facile de m'en contenter qu'à Gauthier et Vincent. Pourquoi ? Sans doute parce que, à son insu peut-être, mon père tutélaire se sentait plus libre de ses mouvements vis-à-vis de l'enfant qu'il avait choisi d'élever — et qui était aussi de son sang — qu'en face des siens.

Car la situation de père à fils, où faits et gestes, et jusqu'à ce qu'on appelle les petits riens, peuvent à tout moment prendre une résonance existentielle, surtout s'il s'agit des choses *les moins importantes,* est par essence contraignante dans ce qu'elle a d'indissoluble. Et qui plus qu'André détesta les contraintes sous quelque forme que ce fût, hormis celles qu'il s'imposait pour incarner ses rêves ? Jamais personne, nulle part.

Le sens du devoir, qu'il avait sporadique mais que bizarrement, il avait tout de même (à sa façon certes) ne pouvait suppléer à tout dans la marche de la vie familiale. Plutôt que de faire face à certaines réalités, il préférait ressentir une culpabilité aussi destructrice pour autrui que pour lui-même.

Vincent était le mal-aimé. Progressivement, sa scolarité en pâtit de plus en plus et finit par devenir problématique. Il avait onze ans lorsque ses difficultés affectives prirent un tour alarmant : outre une quasi-incapacité à travailler en classe, il se mit à faire des fugues dont, à l'aide des gouttières, il rentrait par une fenêtre grâce à une souplesse de singe.

A faire peur à des adultes, un enfant ne met pas longtemps à perdre le privilège de son âge. Celui-là inquiéta son père au point de perturber son difficile travail, plus même : le malaise virait à la crise. Mais que fallait-il faire pour que Vincent cessât de rentrer à 10 heures du soir ou de kidnapper un objet qu'il savait utile ? L'aimer. Ce qu'André ne savait, ne pouvait pas exprimer à cet enfant, paralysé par l'ambivalence des sentiments qu'il lui vouait et par une pudeur douloureuse qui, mise au défi de craquer, pouvait se métamorphoser en banquise — une défense comme une autre et surtout une autodéfense. Par ailleurs, il n'était pas possible à ma mère de s'interposer au-delà de ce qu'André souhaitait, parce qu'elle n'avait pas mis Vincent au monde : trop interventionniste, elle eût pu apparaître comme abusive ; mais à garder une attitude résolument neutre, elle pouvait aussi être accusée de manque de courage ou d'indifférence... Il lui fallait donc être une mère adoptive-sans-l'être-tout-en-l'étant : ne jamais oublier qu'elle n'avait à substituer sa responsabilité à celle d'André qu'à sa demande. Je crois bien que dans ce rôle singulièrement ingrat, elle révéla une patience et une abnégation sans rivales. Mais à ses yeux, dès lors qu'il s'agissait de préserver à la fois la capacité de travail d'André et la paix familiale, il n'était question d'hésiter devant aucune fatigue, aucun voyage, aucune démarche, si rebutants qu'ils pussent être. L'enfant, que lui dire ? Son père répugnait à la violence et n'y recourait que s'il était impossible de faire autrement.

Les disputes entre Gauthier et Vincent, longtemps semblables à celles des garçons de leur âge, saines et courantes, devenaient réellement mauvaises, conflictuelles ; il faut avoir vu Malraux interrompre son travail, descendre dans le jardin et retrouver ses fils dans le garage où leur agressivité se donnait libre cours à coups de chaînes et de pompes à vélo échangés à travers une grêle de coups de pieds et de poings, les séparer de force et les ramener lui-même chacun dans sa chambre, bouclés jusqu'au soir, pour le croire : je l'ai vu.

En janvier 1955, je me trouvais pour une appendicite à la clinique de la rue Georges-Bizet où, à quelques chambres de la mienne, mourait Roger Sautereau, neveu par alliance de Alice Jean-Alley, proche amie de la famille depuis les années 30.

A cette époque, Manès Sperber était la seule personne extérieure à la tribu avec qui André acceptât de débattre de ces questions si complexes en raison de son expérience auprès d'Alfred Adler et de sa formation de psychanalyste, et de qui il envisageât de suivre les suggestions. Lorsque, à la fin du mois de janvier, je partis en convalescence pour la Suisse, je n'étais pas seul dans le train.

Avant d'arriver à Crans-sur-Sierre, lorsque Manès nous quitta, à Villars-sur-Ollon, Vincent restait pensionnaire dans une certaine « Clairière » : pensionnaire et pour moi, prisonnier.

Cette mesure d'éloignement, je la trouvai cruelle pour lui et pour moi, car je continuais à m'entendre beaucoup mieux avec Vincent qu'avec Gauthier. Vue avec le recul que donnent plus de vingt ans, je pense que c'était la moins mauvaise solution : si Vincent était resté à la maison, qui peut dire à quels récifs une incommunicabilité tournant à une intolérance mutuelle se serait heurté le petit navire ? Dès qu'il fut loin, le calme revint et son père se remit à l'écriture. Ce que coûtent certains livres...

Le premier accroc avait fait mal à tout le monde, et chacun de nous, à sa manière, en porterait la marque.

Ayant perdu son partenaire habituel de jeux ou de querelles, l'adversaire dont il avait besoin pour s'éprouver, Gauthier me dévisagea en étranger ; d'ailleurs j'étais trop petit pour l'intéresser : il se renfrogna dans un mutisme soupçonneux, mal à l'aise peut-être d'avoir contribué — malgré lui — à ce départ.

Puis, Vincent parti, il voyait son père, auquel il portait un sentiment passionné, exclusif, plus gentil que jamais à mon égard. Cela ne pouvait pas lui plaire, « les autres » que nous étions lui paraissant être autant d'obstacles entre eux deux.

Je n'ai pas oublié son regard blessé quand il entendit André m'appeler devant lui « chat-touffu » ou dire de moi devant nous à Alice, en passant les doigts dans mes cheveux : « celui-là, c'est comme un petit chat, on peut toujours l'emmener avec soi... »

De là un malentendu qui devait s'approfondir.

Lorsqu'il alla rejoindre son grand-père, à Pâques, je partis pour la Sicile entre les parents. Après une journée à Rome, nous échouâmes à Taormina. Imperceptiblement, quelque chose avait changé.

De la patrie du *Guépard,* nous ne vîmes que le côté du triangle qui va de Messine à la pointe méridionale. Syracuse et les Latomies, que les siècles avaient métamorphosées en géante corne d'abondance végétale, débordante de fleurs, furent un nouveau décor pour mes rêves autour d'Alix l'Intrépide ; je l'imaginais descendant le cours indolent de la Cyagne sur un minuscule esquif, écartant avec précaution les papyrus comme dans le *Sphinx d'or,* attendant que l'ennemi se dévoile pour agir ; dans des vocalises acrobatiques, angoissée par un sourd battement de tam-tam, Yma Soumac chanterait la musique de fond... Tels étaient alors mes compagnons de jeux.

Puis nous retournâmes à l'hôtel San Domenico, ancien couvent aux fastes fatigués, assailli par un admirable jardin en terrasses qui surplombait la mer et regardait l'Etna en profil perdu.

Lieu aussi prenant que sa légende, avec son théâtre de marionnettes présentant un « Orlando Furioso » inchangé depuis l'origine, avec une procession pascale noire et silencieuse, digne d'être espagnole. « Je me demande ce qu'une femme comme vous aurait fait sous Tibère », avait dit peu auparavant André à Alice qui n'avait su quoi répondre !

Peut-être se serait-elle contenté de vivre dans ce cadre.

A Paris, c'était le temps du mendésisme et des débuts de *l'Express* que les parents suivaient l'un et l'autre avec sympathie. Le général de Gaulle n'eût-il plus été de ce monde, je crois qu'André s'en serait mêlé. Ce fut l'occasion pour moi d'identifier quelque chose d'inconnu dans la maison : l'antisémitisme.

Rien, autour de nous, entre nous, ne laissait concevoir cette perversion de l'esprit : la mère de Flo n'étaitelle pas juive ? Alice Jean-Alley, Jenka et Manès Sperber, fidèles entre les fidèles, n'étaient-ils pas juifs ?

A l'école, on entendait des propos surprenants : certains camarades, répétant ce qu'ils entendaient chez eux, se faisaient forts de nous convaincre que c'était grave de voir la France menée par un Juif — Ah ?

Aussi se dépêcha-t-on de le faire partir avant qu'il pût trop bien faire. Dans nos oreilles, ces mots sonnaient creux mais rouvraient des plaies à peine cicatrisées dans notre entourage et reprenaient leur travail d'avilissement comme si douze ans d'hitlérisme n'avaient pas existé.

L'été se passa à Crans-sur-Sierre où Vincent fit un séjour sans heurts. Mais au moment de le quitter, après l'avoir raccompagné jusqu'à son home d'enfants de Villars, ce fut, à la dernière minute, le déchirement entre nous deux, pendant que ma mère faisait la navette entre le père, rongeant son frein, livide derrière la vitre de la voiture de place, et nos larmes, confondues en un torrent. Moment amer.

A l'automne, je rentrai au lycée Claude-Bernard, douche écossaise, venant après la douillette Petite Ecole ; mais aussi une plongée brutale dans le réel : le lycée n'était pas mixte, les professeurs ne vous appelaient que par votre nom de famille et ne vous tutoyaient jamais. Les poings étaient de la partie, et j'avais de la chance dans mon pacifisme d'être grand et trop en chair : les petits se faisaient rosser par les « durs » à chaque interclasse, que rien n'amusait autant que de faire pleuvoir les coups.

Quant à la discrimination, quelque forme qu'elle prît — sociale, raciale ou religieuse —, elle fleurissait spontanément ; on appelait Chocolat n'importe quel garçon brun ou au nom étranger.

Un samedi matin, entre l'heure de géographie et la suivante, d'histoire, un garçon (dont je tairai le nom : il peut avoir changé) à qui je disais qu'ils n'avaient pas le droit, la majorité de la classe et lui, de traîner de force un camarade juif seul et sans défense au catéchisme comme ils l'avaient fait le samedi précédent en mon absence, me lança avec haine : « Juif de première classe ! » A quoi je répliquai que je préférais être un juif de première classe qu'un catholique de la dernière espèce.

Je commençais à fréquenter les salles de concert, et prenais plaisir à y accompagner ma mère ; ensemble, nous allions aussi nous livrer à la délicieuse habitude d'acheter des microsillons à Auteuil-Mélodie, boutique de disques où le goût très sûr de Janine Bailly nous poussait à la ruine ; ma mère, pour compléter sa culture musicologique, recherchait ce qu'il y avait de plus rare : enregistrement de musiques médiévales ou pré-classiques ou alors de l'école de Vienne — *Wozzeck,* l'intégrale de Bartok pour piano et les plus récents Stravinsky, quand ce n'était pas l'anthologie de la musique hindoue d'Alain Daniélou, alors que, banalement, je dépensais tout mon argent de poche avec le répertoire le plus attendu : les trois B — Bach Beethoven, Brahms — Chouberchopinchoumane, etc... Pour une fois, j'allai au cinéma avec les parents voir *les Grandes manœuvres* parce que nous aimions tous René Clair ; mais ce fut sans eux que j'admirai *Lola Montès* ou je ne vis, outre ce qu'a d'inévitable la somptuosité du spectacle, que le décolleté de Martine.

La richesse de ce chef-d'œuvre m'échappa pour longtemps encore.

A Noël, une famille russe connue sur les bancs de la Petite Ecole choisit Crans pour passer les fêtes, comme nous : les Finkelstein, devenus Finey à force d'entendre nos compatriotes estropier leur nom. Ils formaient un quatuor pittoresque : doté d'une solide formation d'ingénieur, Yacha avait une usine fort prospère près de Fontainebleau, dans laquelle on fabriquait selon un procédé de son invention de la fourrure artificielle semblable à de l'astrakan ; Sonia, sa femme, avait été d'une beauté spectaculaire et personnifiait pour moi l'aristocratie russe émigrée : très brune, le teint mat, les traits parfaitement réguliers encadrés d'une double tresse, c'était une conteuse orientale surabondante dont les récits et l'accent merveilleux m'éblouissaient ; les filles étaient très différentes : Irène au fin visage biblique, à l'ovale de danseuse — ce qu'elle voulait et aurait dû devenir ; Nina, mélange de ses parents, ravissant sourire animé d'une intelligence incisive — Nina, jeune fille russe romantique. Je m'arrachais avec peine à la chambre d'hôtel où Sonia, malade imaginaire toujours mourante alitée au cœur d'une tabagie de Gitanes, à travers laquelle perçait, insistante, « l'Heure bleue » de Guerlain, vouait un souverain mépris à tous les bien-portants, pour aller skier mollement, avec ceux de mon âge. A regret.

Nos retrouvailles avec cette famille, perdue de vue après que les deux sœurs eurent quitté le cours privé d'Auteuil furent l'amorce d'une affection souvent précieuse qui devait résister aux années. Après les sports d'hiver, nous nous revîmes à la patinoire Molitor, au concert, à toute heure. L'hospitalité russe avait du bon. Cependant, les préoccupations ne désarmaient pas : la « Méta » piétinait, mes rapports avec Gauthier restaient inexplicablement tendus et Vincent devait changer d'établissement — en d'autres termes : ma mère allait devoir retourner en Suisse pour en trouver un autre, non moins provisoire. Jusqu'à la fois suivante.

L'oasis de paix qu'André avait abordée après la Libération lui avait procuré un apaisement profond et salutaire, sans précédent : maintenant, elle commençait à ne plus lui suffire. On n'est pas Malraux pour se contenter d'accomplir une œuvre écrite ou parcourir l'Asie mineure en faisant du tourisme intelligent.

L'aventure du R.P.F., engagée dans l'euphorie,

s'était achevée en déconfiture, et l'échec l'avait laissé secrètement ulcéré.

Née de son adhésion fervente à la personne du général de Gaulle, il s'y était jeté avec frénésie, possédé par la grande querelle qu'il avait à vider avec ses anciens camarades communistes, longtemps contenue (mais à grand-peine vers la fin) à l'époque où l'urgence d'un front commun contre la montée de l'hitlérisme restait la priorité des priorités. Nécessité qui lui avait coûté la sympathie admirative de Trotski pendant la guerre d'Espagne.

Après deux grands feux de joie, en 1947 et 1949, l'affaire du rassemblement avait rendu l'âme, tournant à la politicaillerie.

Au Général, il gardait un sentiment d'allégeance quasi filial, et cette attache, nouée si profond, le retenait de toute prise de position ou de solidarité active avec les tentatives de Mendès France et de son équipe.

Les essais sur l'art, qui absorbaient le plus clair de ses jours depuis dix ans, se montaient déjà à une demi-douzaine de titres.

S'approchait le moment de saturation où un créateur, fût-ce lui, commence à se lasser de se pencher sur son gouffre intérieur pour lui arracher une à une, avec une minutie d'orpailleur, les parcelles de substantifique moelle : « Ecrire est un pugilat permanent avec soi-même » nous répondait-il, lorsque nous nous hasardions à lui demander de ses nouvelles. Comme s'il avait été prêt à en donner.

Comment changer d'objectif, et sur quoi braquer son collimateur ? Ou sur qui ? On le sentait fragilisé, de plus en plus clos sur lui-même et sur ce qu'il nommait ses « personnels problèmes ». Avoir cinquante-cinq ans ne le réjouissait pas non plus.

En outre, il savait sa relation avec Vincent mal engagée mais ne voyait guère comment s'y prendre pour l'améliorer. Par quelle issue imprévisible pourrait-il s'échapper de la tour d'ivoire au sommet de laquelle l'air était déjà si raréfié ? « L'Art est parmi les vivants la présence de ce qui ne devrait appartenir qu'aux morts » ; « L'artiste n'est pas le transcripteur du monde, il en est le rival » : ces deux phrases seraient-elles de Malraux par hasard ? Certes pas.

Plus tard, j'ai pensé qu'elles étaient l'une comme l'autre l'envers de son sentiment de la solitude, vécu comme le lot inexpugnable de sa condition d'homme.

A la chrétienne communion des saints, se substituait pour lui une communion des créateurs. Son temps « retrouvé », en somme, qui lui permettrait d'échapper au temps-des-autres : le nôtre à nous, qui n'aurions pas droit à cette survie puisqu'il nous absorberait tout entiers, nous anéantirait.

Dès lors que lui parlaient avec cette priorité écrasante ce qu'il a nommé les Voix du Silence, celles des siens et même celles de ses autres interlocuteurs risquaient à tout moment de n'être qu'une interférence, un bruit de fond, qui sait !

Avec une volonté acharnée, il écrivait, lisait en vue de faire avancer son travail, ne s'accordait pas un instant de répit. Je crois qu'il est mort sans connaître le sens du mot vacances, pour lui resté lettre morte. Quant à la *Métamorphose des dieux,* initialement parti de l'idée que ce serait l'introduction à un livre essentiellement composé d'illustrations qui en seraient le faire-valoir, il avait été débordé par l'ampleur de ses développements.

Un jour, héroïque, André s'était décidé à le reprendre.

En son entier. « Recommencez-moi ça ! » restait l'une de ses phrases fétiches. Il a raconté lui-même d'où elle venait, mais pas à tous ceux qui l'ont entendue sur ses lèvres, il s'en faut. Elle me semble bien valoir la peine d'une redite.

Mon plus jeune oncle, Claude (Malraux), qu'il appelait toujours du vocable vietnamien le Nhô, la lui avait répliquée dans les années 30, au cours d'une promenade sur les quais de la rive gauche.

Passant devant le quai Conti, André s'était mis à expliquer au plus jeune de ses deux demi-frères, qui avait dix-neuf ans de moins que lui, ce qu'était l'Académie française.

— Et toi, tu n'y es pas ? demanda le Nhô.

— Non, ça ne m'amuse pas... ça t'amuserait, toi ?

— Oh oui !

— ! ! !... Mais pourquoi ?

— Je les réunirais tous et je leur dirais : recommencez-moi ça !

Il ne fut jamais tenté d'y entrer en dépit des pressions amicales dont il fut tant de fois l'objet — « Qu'est-ce que j'y ferais ? »

Mais il n'aurait plus dit, comme vingt ans plus tôt à Paul Valéry qu'il croisait sur le chemin d'une séance : « Mais qu'est-ce que vous allez faire dans ce ramassis de vieux cons ? »

Car il y comptait des sympathies déjà anciennes : Mondor, Pasteur Vallery-Radot, Maurice Garçon ; plus récentes : Pierre-Henri Simon, Maurice Genevoix ; un vieil ami et frère d'armes, André Chamson. A François Mauriac, Louis de Broglie et Jean Rostand, il réservait une admiration à part.

Des années plus tard, l'élection de Jean Paulhan lui parut être un pied-de-nez particulièrement enlevé — et réussi — aux bévues de l'illustre assemblée, à laquelle il pardonnait mal d'avoir méprisé André Suarès, mort dans un oubli proche du dénuement, ignoré Proust et Valéry-Larbaud, de ne pas avoir accueilli Colette, même à titre d'exception puisqu'elle avait dû aller se faire reconnaître à Bruxelles — les Belges sont moins bêtes, étant moins misogynes — et de continuer à ignorer Montherlant (qui n'y était pas encore), Pierre-Jean Jouve, Saint-John Perse, omettant dans cette énumération très approximative de ma part ceux que leur vocation ou leur position en excluait par définition : Céline, Genet ou Aragon. Ou Henri Michaux.

Tout le séparait de la vie littéraire parisienne : son emploi du temps, les gens de lettres, leurs préoccupations professionnelles et, plus encore, la conception de leur littérature — celle d'un absolu.

Il ne concevait ses écrits que comme un véhicule de réflexions dont le temps se chargerait de soumettre la forme et le fond à une métempsycose imprévisible : personne ne pressentit plus fortement à quel degré la chose créée *échappe* à son auteur. Sur le caractère quasi ludique de ses rapports avec le monde de la littérature, il s'est expliqué magistralement dans le premier de ses livres qui soit posthume, *l'Homme précaire et la littérature.*

Mais en 1955, en 1956, les courants violemment contradictoires qui le traversaient, s'ils nourrissaient sa réflexion quant à son œuvre et à ce qu'il entendait faire dans la vie publique pour enrichir de son apport le livre d'heures de l'Histoire, nous le rendaient souvent crispé, distant, à vif. « N'en-com-brez pas ! », nous lançait-il en martelant sa phrase avec une grimace de souffrance si nous nous attardions une minute de trop dans sa pièce de travail. Car il atteignait cette étoile de chemins où celui qu'on choisit est sans retour, comme au jeu d'échecs cet avant-dernier coup qui sauve ou qui perd.

De plus en plus jolie, Flo venait d'entrer chez Gallimard ; elle y collaborait sans trop de conviction à une collection où l'illustration photographique avait la plus grande part : *Versailles, New York,* etc. Depuis le premier jour, à Toulouse, en 1942, ma mère l'aimait ; et cette entente, jamais remise en question, venait consolider les bonnes dispositions d'André à son égard : c'était lui qui avait poussé les portes de la N.R.F. A vrai dire, ce qu'elle y faisait ne pouvait pas la satisfaire. Ce qu'elle en gardait de plus durable, c'étaient des amitiés comme celle de Camus, ému et séduit par tant de charme involontaire. C'était aussi le temps où elle était inséparable de Françoise Sagan et de Bernard Frank, dont son père suivait les débuts avec intérêt et non sans une pointe d'attendrissement.

Mais l'isolement indispensable à l'écriture éloignait insensiblement chaque jour un peu plus André de ses amis.

En faisant exception pour Manès Sperber, et parfois pour Jean Grosjean, qui, chacun à sa façon, lui apportaient le sel de la contradiction ou de la différence, sa marginalité ne faisait que s'accentuer. Ou plutôt : sa solitude.

Ceux qui lui restaient d'avant la guerre, Emmanuel Berl, les Martin-Chauffier, Marcel Arland, Alice Jean-Alley ou Louis Guilloux — auquel il vouait une admiration bien à part —, il les voyait peut-être une fois l'an. Il avait fermé sa porte à Edouard Corniglion-Molinier pour des bêtises, par excès de fidélité au général de Gaulle (qui n'en demandait pas tant), semé en cours de route Suzanne et Raymond Aron, Pascal Pia, combien d'autres ? Certains aussi vivaient hors de Paris comme Julien Segnaire ou ses compagnons de la brigade Alsace-Lorraine ; ou bien à l'étranger : Victoria Ocampo à Buenos Aires, les Picon au Liban, Germaine Krull en Thaïlande ou encore José Bergamin en Uruguay. Et sauf lorsque, par exemple, les Chaban-Delmas emmenaient les parents découvrir un formidable bistrot à l'occasion d'un saut à Paris, voir les gaullistes militants ne prenait à ses yeux de sens que dans l'action : hors d'elle, point.

Quant aux écrivains, venons-y. Il préférait leurs œuvres à leur personne, lisait régulièrement la production de Montherlant, Giono, Camus, avalait d'un trait les *Journaliers* de Jouhandeau, suivait attentivement les notes de Paulhan disséminées à travers la *Nouvelle N.R.F.*, bâillait sur les *Temps modernes,* et avait cessé de lire la prose d'Aragon « Je ne suis pas bon juge, cela m'est absolument *étranger* » — c'est lui qui soulignait. Peut-être est-ce à la poésie qu'il accordait le plus de constance : celle de Saint-John Perse, Michaux, Pierre-Jean Jouve, celle, également, des grands ancêtres étrangers, Tragiques grecs, Shakespeare, Hölderlin. Ainsi qu'aux essais les plus divers, de C. G. Jung à Lévi-Strauss, de Milosz (l'autre) à Denis de Rougemont, d'Etiemble à Caillois. En rappelant qu'il plaçait Claudel au-dessus de tous ses contemporains et portait à son œuvre une admiration véritablement immense.

Il ne fallait pas moins que l'effacement volontaire de ma mère, qui touchait beaucoup plus rarement son piano, son absence d'égoïsme et la tendre admiration qui l'unissait à lui pour accepter une existence à ce point cloîtrée. Car pour lui et pour lui seul, elle allait choisir les condiments les plus délicats, les mélanges de cafés les plus rares chez Corcellet, lui rapportait du caviar ou un petit homard de chez Prunier-Tratkir, et recherchait les recettes les plus subtiles pour que les cuisinières successives trouvent de nouvelles variations à broder sur des thèmes pâtissiers, les gâteaux étant la seule friandise qu'il appréciât vraiment.

Ces attentions, ces douceurs pouvaient renaître avec chaque jour : elles ne pouvaient masquer le fait que Vincent restait en Suisse, dérivant d'une pension à l'autre au moment où Gauthier abordait les rivages inconfortables de l'adolescence ; fermé sur lui-même, anxieux par-dessus tout de ne pas décevoir son père, peu sûr de lui malgré un fort beau visage calqué sur celui de sa mère, il se cherchait dans les tourments. Que reste-t-il à Etéocle si on le sépare de Polynice ? Image volontairement très exagérée : « J'exagère pour être clair », disait leur père lorsqu'il se voulait explicite après trop d'ellipses ; car les rapports des deux frères entre eux redeviendraient bons, plus tard. Pour l'heure, Gauthier essayait de s'affirmer, de s'affermir dans le scoutisme laïc qui lui faisait voir du paysage, faire de l'exercice et apprécier des êtres humains de la valeur de Bernard Spire.

Ou il voyageait avec ses amis Jean-Marie Fourestier, Albi Cullaz. Mais la photo qui le montre coiffé de son béret de scout, et qui est belle, trahit toute l'absence de joie qui était en lui.

Néanmoins, la proximité de nos amies Finey, à deux pas de chez nous, mettait à notre portée un dépaysement savoureux qui parvenait souvent à le dérider ; il se chamaillait gentiment avec Irène, qu'il aimait taquiner, et tournait autour de Nina, troublé, irrésolu : il y avait de quoi. Sonia nous emmenait dans la part de Russie qu'elle gardait imprimée en elle, et, suspendus à ses récits, tour à tour terrifiants (espérait-elle), compassés, moralisateurs ou humoristiques, nous ne sentions pas passer l'heure de retourner en classe. Aux grandes vacances suivantes, nous retournâmes à Crans, où, aux heures de convivialité, les parents croisèrent Roger Stéphane, Elisabeth de Miribel, Jacques Rueff et sa femme, François Mitterrand. La famille Finey y retrouvait les cousins émigrés à Londres et la famille Malraux : séjour de Vincent qui y remporta un concours hippique, visite de Florence pendant un week-end. Mais Gauthier n'en fut pas. Le bel été bronza une foule de points d'interrogation.

Roland et Madeleine Malraux chez Colette de Jouvenel. C'était leur dernier été.
Septembre 1943.

Roland Malraux au début de l'occupation allemande, quand il vivait en zone libre où il devait rencontrer Madeleine Lioux. *(Photo Georgette Chadourne)*

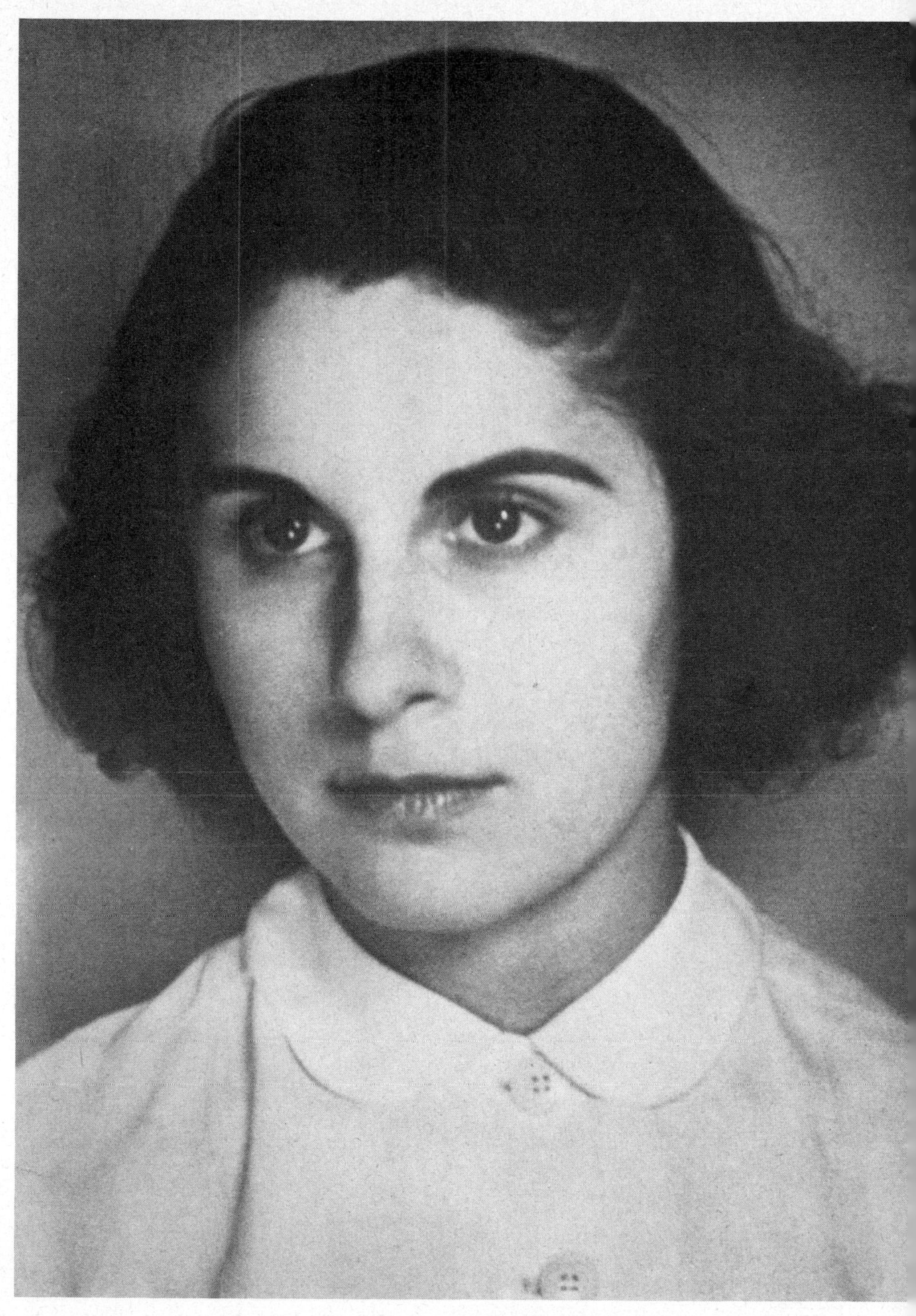

Madeleine Lioux peu avant son premier mariage, quand elle enseignait le piano au conservatoire de Toulouse. 1942. *(Photo Théodore Fried)*

Gauthier, Vincent et Alain Malraux à La Baule, pendant l'été 1947.

Gauthier et Vincent devant la cathédrale de Strasbourg. 1948.

Madeleine et André Malraux avant leur mariage, dans leur maison de Boulogne, 19 bis, avenue Victor-Hugo. 1947.

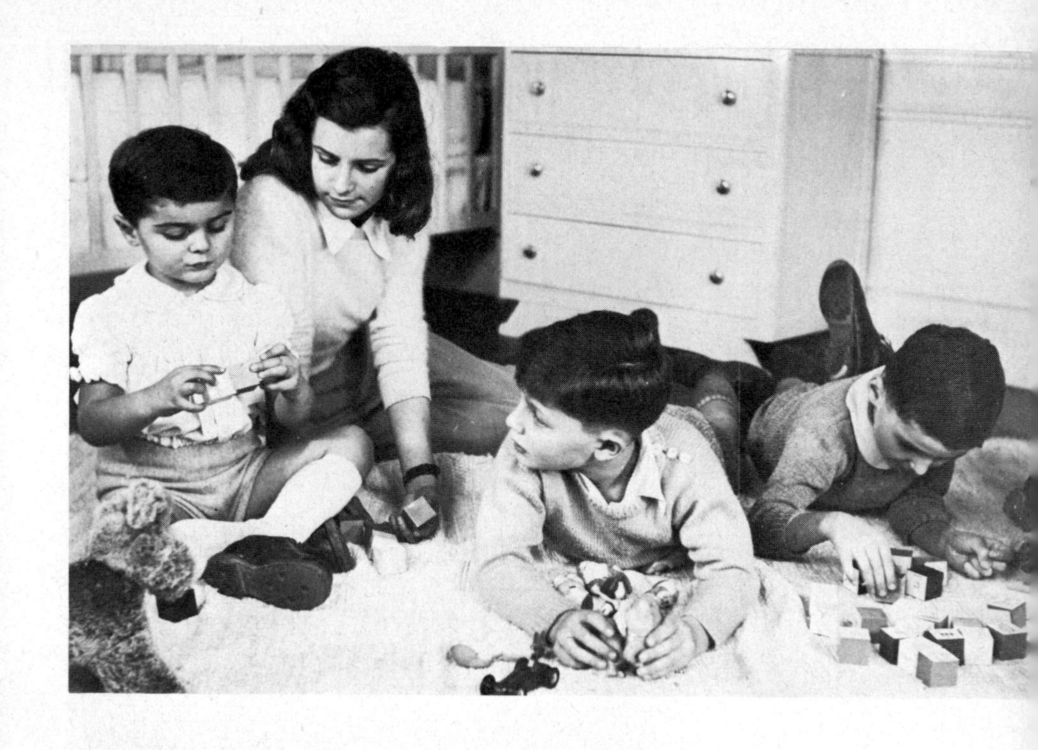

Alain, Florence, Gauthier et Vincen[t] sur l'unique photo qui les réuniss[ent]. Boulogne, 1948.

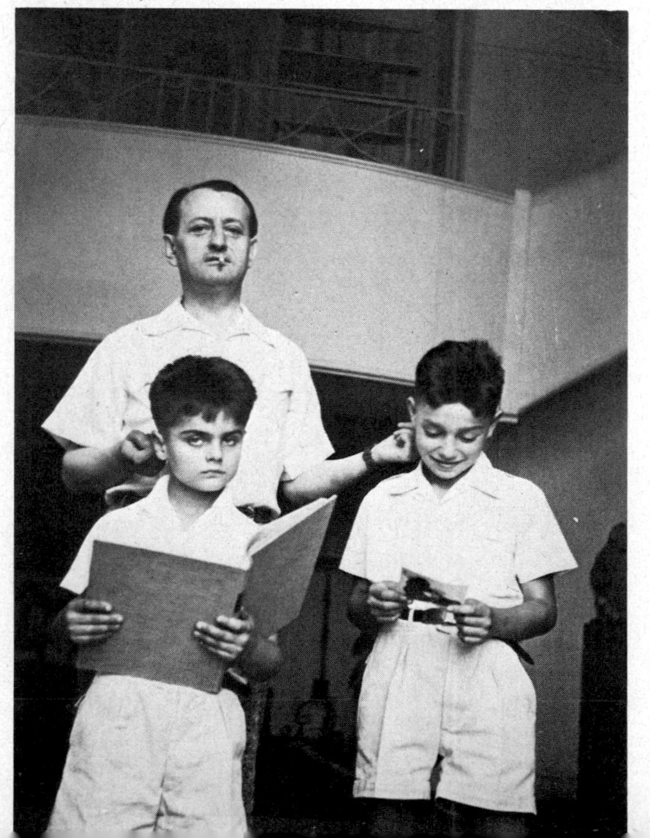

André et Gauthier Malraux avec l'a[u]teur. Boulogne, 1954.

André Malraux au temps des *Voix du silence*. Boulogne, début des années 50.

André et Madeleine Malraux. Boulogne, 1954.

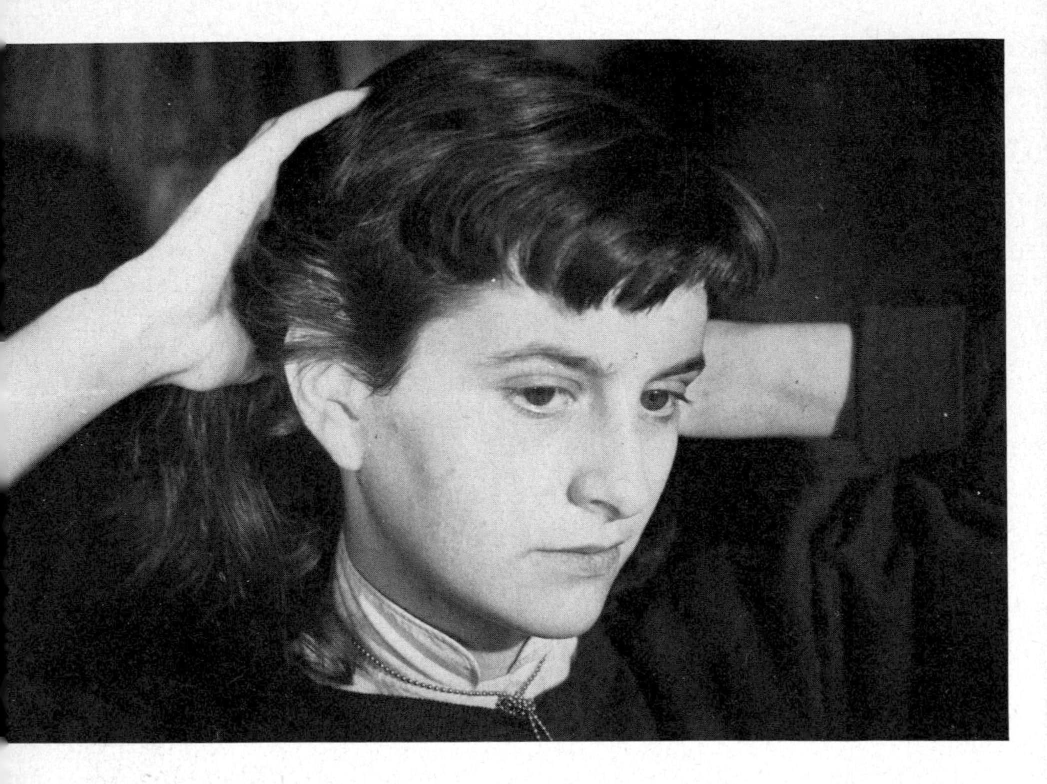

Florence Malraux. 1953.

C'est ainsi, en silhouette, que chaque matin en partant pour l'école, l'auteur voyait André Malraux. *(Photo Zalewski)*

◄ André Malraux et les trois garçons. Boulogne, 1954. *(Photo "Paris-Match")*

« Alice Jean-Alley, qui par son âge aurait pu être ma grand-mère et fut ma plus proche amie. »

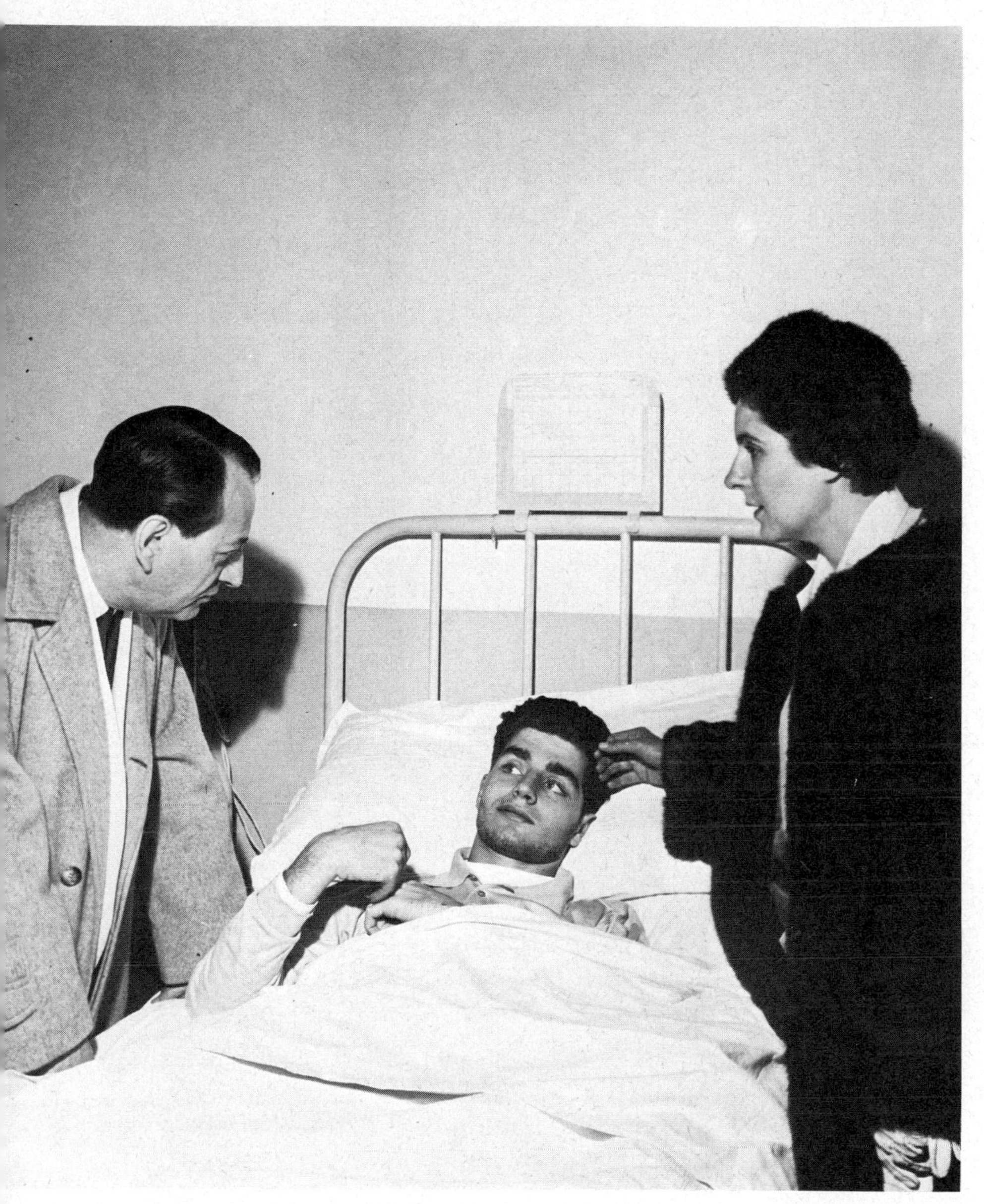

André et Madeleine Malraux au chevet de Gauthier, à Turin, en 1959.
(Photo Giancolombo/"Paris-Match")

Gauthier en tenue d'éclaireur : « Cette photo trahit toute l'absence de joie qui était en lui. »
(Photo Keva)

Vincent, peu de temps avant sa mort. « Son impatience de jeune dieu grec... Il avait dix-sept ans. » 1961. *(Photo Michel Holtz)*

André Malraux à Crans-sur-Sierre. 1956.

Le pavillon de la Lanterne où André Malraux vécut de 1962 à 1969.

Lorsque les événements de Suez firent la une des journaux, l'intérêt paternel pour la vie politique se ranima. Sur ce qu'il eût fallu faire — ou éviter de faire avant l'intervention franco-anglo-israélienne —, ce n'était pas très clair. Mais dès lors qu'elle était en branle, André eut la réaction opposée à celle de la Gauche : ne pas céder aux pressions pour cette fois concordantes de Moscou et de Washington.

Puis ce fut Budapest. Là, son idée du communisme était arrêtée, enregistrée avec tant de netteté qu'il ne manifesta aucun étonnement — « Depuis quand ont-ils changé ? » ; seulement l'émotion de voir le petit peuple de Bela Bartok avoir osé se dresser contre l'Union soviétique pour se faire écraser sans merci. Oubliant *Nekrassov,* joué l'année d'avant, Sartre tonna en sens contraire : « Douze ans de terreur et d'imbécillité ! » ; « Il pleut des vérités premières : mais pourquoi *seulement* douze ans ? » commenta André en haussant les épaules. Il ne comprenait pas. Décidément, l'incompréhension était, à tous les niveaux, un lot bien partagé.

Pour moi aussi, les choses commençaient à se compliquer. Inconsciente de ce qu'elle faisait, ma grand-mère avait profité de son plus récent séjour à Paris pour me laisser de nouveau entendre que la mort de mon père n'avait jamais pu être prouvée ; et les affres baladeuses de ma petite enfance, au rendez-vous du 18 juin, avaient repris, maintenant sous la forme de questions atroces, obsessionnelles : si mon père est vivant, où est-il ? Dans un bagne, en Allemagne de l'Est ? Ou amnésique, dans un asile soviétique ? (Il parlait fort bien le russe qu'il avait appris lorsqu'il avait été correspondant de presse à Moscou). Tournait, tournait le tourniquet : cauchemars de nuit, paniques de jour. J'abandonnais des billets délirants à odeur masochiste sur la coiffeuse de ma mère, qui me rassurait comme elle pouvait, c'est-à-dire sans pouvoir dissimuler son angoisse.

Un matin, de bonne heure, j'étais encore couché. André est entré dans ma chambre, s'est assis sur mon lit, m'a parlé comme jamais auparavant, comme jamais plus ensuite. Sans préalable ni transition, comme toujours. D'une voix méconnaissable, extraordinairement douce, il m'a parlé avec une tristesse non déguisée mais résignée, empreinte d'un calme impressionnant : il n'y avait pas d'espoir pour que mon père revienne parmi nous. Aucun, jamais. Parce qu'il était mort. A cet égard, nul doute ne devait subsister, me dit-il. Il prit la peine de me raconter le peu qu'il savait par le détail — Martin-Chauffier et d'autres l'avaient vu au camp ; leurs témoignages concordaient : tous parlaient de son courage, de sa lucidité, de sa bonté — en soulignant qu'il avait par recoupements de bonnes raisons de croire qu'il n'avait pas trop souffert : la fin, semblait-il, avait été presque instantanée.

Ce ne fut pas long, mais je n'ai pas oublié la bonté, la beauté de son expression, ni l'intelligence du cœur avec laquelle il a su authentifier la lugubre vérité, tout en me faisant le bien qu'il *voulait* me faire. Cela aussi, il l'a accompli. Sur le moment et pour toujours. Puis André est sorti de ma chambre aussi soudainement qu'il y était entré.

Aucun souvenir négatif ne tiendrait en face de celui-là.

Mais sur un autre plan, peu de choses résistent, lorsqu'on sort, à douze ans, d'une projection de *Nuit et Brouillard.*

Vincent, de passage à Paris, ma mère et moi venions de voir le film de Resnais au studio de l'Etoile. Longtemps nous sommes restés silencieux, sans larmes. Après les propos verbeux entendu en classe pendant le gouvernement Pierre Mendès France, c'était un rappel dur à soutenir : aussi la leçon que j'ai reçue en cette heure l'a-t-elle été une fois pour toutes.

Ma vie, alors, s'était de plus en plus cloisonnée en deux plans bien distincts : le lycée, concession au monde extérieur à notre coquille, et là, j'en faisais le moins possible ; la maison où m'accueillait la musique née sous les doigts de ma mère, et son annexe la maison-sœur de nos amies russes. Le piano était aussi partie intégrante du second domaine, ce jardin enchanté.

Ma négligence alliée à ma fainéantise et à l'absence de discipline chez nous ralentirent beaucoup les progrès qu'attendait de moi mon professeur, amie viennoise des Sperber. Il valait mieux qu'elle fût devenue mon professeur : auprès de ma mère, au demeurant remarquable enseignante, attentive et patiente — et très professionnelle, j'étais devenu le pire élève, capricieux et distrait, incapable d'admettre de sa part autre chose qu'une tendresse idolâtre.

Avec Dela Kraft, il n'en allait pas de même : passionnée, volcanique, elle me maltraitait généreusement : alors trop, à mon gré, mais beaucoup trop peu si je pense à tout ce que je lui dois.

« Vous ne sortirez pas d'ici avant d'avoir fait l'effort d'aller au bout de cette page !... » J'avais beau lui adresser des regards de Pietà, elle restait inflexible.

J'y arrivais, plus surpris que si j'avais escaladé l'Annapurna. Parfois aussi, je la faisais enrager.

L'un de ses objectifs essentiels était de réussir à éviter fatigue musculaire et crispation, même au milieu des pires difficultés techniques ; lorsqu'elle me demandait d'exécuter un trait périlleux, pourvu que ce ne fût pas une gamme, il m'arrivait de le reproduire vite et sans accrocs, ayant une réelle facilité de doigts — « Vous y êtes arrivé une fois par hasard, vous n'y arriverez pas deux fois avec ce poignet. Recommencez ! » : je m'exécutais derechef et malgré mon mauvais mouvement, réussissais une seconde fois, grisé de l'avoir défiée... sainte patience ! Je lui dois l'initiation à Schubert et beaucoup de ce que je possède. Ayant commencé vers deux heures de l'après-midi, je rentrais fourbu et ravi pour le dîner.

A Boulogne, les disques avaient peu à peu pris une place grandissante, Dela spontanément, avait matérialisé l'un de mes souhaits les plus ardents en m'offrant le disque alors introuvable du second *Concerto pour piano et orchestre* de Brahms par Toscanini et Vladimir Horowitz qui avait déclaré avoir essayé de le jouer « sans la barbe ». Et réussi.

Les parents avaient leur énorme combiné radio-électrophone ; Gauthier avait reçu, je crois de sa marraine, un tourne-disques, et il y en avait un troisième à très bon marché, déambulant d'une pièce à l'autre. Pour nous quatre, parce que Vincent, au loin, continuait à collectionner les pensions, faisant tout pour s'en échapper.

Lorsque nous allions nous promener au bois de Boulogne, le jeudi ou le dimanche après-midi, ma mère et moi parlions de tout et, le plus souvent, de Vincent. En fin de matinée, un jeudi, j'ai eu l'une des seules idées originales qui me soient venues ; je lui ai dit que pour donner confiance en soi à Vincent, il faudrait que l'année suivante, il rentre à la maison mais qu'il y soit seul entre André et elle, pendant que Gauthier et moi irions, nous, en pension.

Quand ma mère, convaincue par cette illumination, la transmit à la personne concernée, sa réponse jaillit, terrible : « Vous êtes folle ! Ils n'ont rien fait, eux... »

Avec la disposition d'esprit du « persécuté-persécuteur », titre d'Aragon qui aurait dû être de Malraux, le maintien du *statu quo* restait malheureusement, sinon une bonne solution — il s'en faut —, du moins la seule possible ; Manès Sperber avait donc eu raison de suggérer l'éloignement. Cette réaction m'atteignit profondément car je vis s'évanouir la seule perspective constructive autre que ce palliatif toujours prolongé sans avoir rien pu changer.

Pendant ces grandes promenades avec ma mère, j'avais l'occasion de le déplorer ; nous faisions demitour en général vers la cascade de Longchamp où Bresson a situé la rencontre fatale aux *Dames du bois de Boulogne ;* sur le chemin de la maison, où nous attendaient le thé et les devoirs en retard, le trajet, entre le stade Roland-Garros et les serres du jardin d'Auteuil, me remémorait chaque fois notre toute petite enfance commune à Vincent et à moi, lorsqu'on nous promenait dans le grand landau et que je lui donnais des coups de pieds sous la couverture, pour rire ; c'est peut-être à ces moments-là qu'il me manquait le plus terriblement.

A Pâques, André nous laissa partir sans lui pour Venise où allaient aussi pour la première fois, Georges, Claude et Alain Pompidou, munis de ses recommandations esthétiques et d'adresses de restaurants agréables.

Car il ne quittait plus guère sa table de travail.

Les admirateurs de ses livres imaginent à tort qu'il avait l'écrit aussi aisé que le verbe : rien n'est moins vrai.

Il ne bénéficiait pas de cette rédaction fluide et pleine d'allant à laquelle se connaît Aragon ; au contraire, lorsqu'aucune lame de fond ne venait le projeter loin en avant, il lui fallait s'appliquer à l'ouvrage, rétrograder ses vitesses comme fait l'automobiliste, et apprivoiser patiemment la discontinuité qui remontait des grandes profondeurs, pour éviter l'asphyxie de la phrase. Qu'il n'évitait pas toujours.

Au week-end de la Pentecôte, André profita de ce

que nous étions tous les trois réunis pour nous convoquer collectivement le lendemain à midi pile dans son bureau. Intrigués, nous ne nous en parlâmes pas du tout mais nous nous retrouvâmes dans l'escalier de la grande pièce vingt secondes avant l'heure dite, n'oubliant pas qu'il était d'une ponctualité presque maniaque. Voici ce qui nous fut dit, au garde-à-vous en flûte de Pan, comme d'une tribune : « Vous avez atteint un âge où il ne faudra plus nous embrasser. » Un temps. « Vous pouvez disposer. »

Nous nous dispersâmes sans un mot, suffoqués par l'aspect soldatesque de cette injonction. Je ne manquai pas, à la première occasion, de lui adresser une carte postale s'achevant par : « une cordiale poignée de mains entre gens qui se rasent ». Qui resta sans commentaires, elle aussi.

Survint une nouvelle réjouissante. Henry Lartigue et sa douce femme Madeleine-aux-yeux-bleus, avec l'obligeance et le sens du geste amical qui distinguaient leur couple, trouvèrent pour nos vacances une propriété à louer au Pays Basque.

Nous prîmes enfin le train d'Hendaye d'un cœur allègre, heureux de changer d'horizon après deux étés de suite dans le Valais. La maison dénichée par les Lartigue s'appelait *Maldagora.* Juchée au sommet de la colline qui surplombe Ciboure, derrière Saint-Jean-de-Luz, c'était ce que j'ai connu de plus proche de « Xanadu », la délirante villa de *Citizen Kane.* Rien qu'au premier étage, on n'y trouvait pas moins d'une douzaine de chambres, chacune ayant sa salle de bains.

La vue qu'on y découvrait était somptueuse à 180°, de l'Atlantique à l'arrière-pays, jusqu'aux Pyrénées.

André allait enfin pouvoir donner la touche finale à la « Méta ».

A Maldagora, nous passâmes les plus réussies des grandes vacances. C'est l'unique fois que nous nous trouvâmes tous réunis, grâce au séjour de Flo, arrivée du Midi absolument ravissante, couleur d'abricot mûr. Nous y restâmes en tête à tête quelques jours et c'est en sa compagnie que j'ai vu à Bayonne la seule corrida qui ne m'ait pas semblé une boucherie : c'était le grand Ordonez qui toréait. Quelle différence d'allure avec les afféteries de Dominguin, à huit jours d'intervalle ! Ma mère loua une voiture de place grise et noire, une Delage 1939. Merveilleusement désuète, cette berline cossue nous menait souvent à Ascain où se trouvait un restaurant bien plaisant, abrité par une tonnelle croulant de verdure. Nous subissions unanimement la douceur charmeuse de la descente vers cette bourgade par la vieille route de Saint-Pée-sur-Nivelle, jalonnée d'échappées nostalgiques. Vincent semblait mieux dans sa peau, beaucoup mieux.

D'une belle précocité, il venait d'entamer sa vie charnelle de jeune homme et il y avait trouvé une affirmation de soi riche de sens et équilibrante : sa première justification d'être au monde. J'avais du mal à y croire, et pourtant c'était vrai.

De même qu'il m'avait fait nager là où je n'avais pas pied, alors que je savais flotter depuis longtemps, en m'accompagnant à la nage jusqu'au centre de la piscine de Lyons-la-Forêt pour m'y laisser me débrouiller, de même, disposant d'un exemplaire de *Histoire d'O,* m'encouragea-t-il à compléter les graves lacunes de mon savoir par quelques nouveautés, la plus magique étant la fellation (et sa réplique). Etait-ce honnête ? Peut-être pas... Courant ? certainement... Agréable ? Très, assurait Vincent. Ce qu'il me dévoila, je le gardai pour moi. Pour l'heure, l'été basque était éclatant comme une promesse de bonheurs. Ma mère ne s'était-elle pas remise à faire beaucoup de piano ? Vincent n'allait-il pas rentrer parmi nous ? Ensemble, nous sortirions à Paris comme nous le faisions à Saint-Jean-de-Luz, nous irions au bois, au cinéma, au concert, voir des expositions et je serais heureux parce que nous le serions sans exception.

J'ignorais combien cet été resterait marqué, dans le souvenir, pour avoir été le dernier d'une république bien mal-portante. Mais je savais que, sur le point de quitter l'enfance, il en était comme le zénith.

Flo alla déjeuner à Biarritz, invitée par Françoise Giroud. Rentrée à Paris, elle écrivit à son père pour lui demander le *nihil obstat* à son entrée à *l'Express* comme assistante de sa directrice. « Excessivement pour », lui télégraphia-t-il par retour.

Ce qu'elle fit. Six semaines, deux mois passèrent ; et la *Métamorphose des dieux* sortit. Par la nature du public auquel s'adressait l'auteur, par le coût du livre, ce ne pouvait pas être un best-seller.

Ce fut tout de même l'événement littéraire du dernier trimestre, à Paris. Nous y revîmes nos incestueuses sœurs Finey qui n'étaient pas venues nous rendre visite, du bassin d'Arcachon. Sonia m'apprit à aimer Tchaïkovsky que les Russes aiment trop et les Français pas assez ; elle me fit connaître sa *Cinquième symphonie,* au souffle épique, dans la version bostonienne du grand Koussevitzky, enveloppée dans une pochette au jaune criard, et retrouva pour moi le 78 tours de Horowitz où il interprète des pièces de Poulenc comme personne, *Toccata* et *Pastourel* : un cadeau de plus. Irène m'emmena voir des ballets, sa passion, dans un film du Bolchoï où dansaient la grande Oulanova et Maïa Plissetskaïa.

Nina, qui me troublait de plus en plus, ne m'emmena nulle part voir ce que j'avais envie d'apprendre. Mais qu'est-ce qu'un garçon de quatorze ans peut espérer d'une fille qui va en avoir dix-sept, sinon beaucoup de frustration ! « Quand tu auras fini de peloter cette jeune personne, je vous montrerai un farfelu des Nouvelles-Hébrides — très juteux ! » Voilà comment le grand homme commentait mes chérubinades empêtrées. Vis-à-vis de Nina, je devais me taire sous peine de perdre une amitié inappréciable. Et je me tus. Revenant d'un week-end à Ponthierry avec les deux sœurs, serré contre Nina à l'arrière de la voiture de son père, ce que je ressentis ne me laissa aucun doute. Vainement je m'efforçai de penser à autre chose à travers les embouteillages du dimanche soir.

Dans ma chambre, j'avouai à ma mère mon trouble dans toute sa précision, balbutiant entre deux sanglots qu'elle ne m'aimerait jamais, elle, et que nous n'aurions pas d'enfants ensemble !

Cet amour contrarié ne me fit pas trop de mal. Nous continuâmes à sortir avec un groupe d'amis des deux sœurs, tous nettement plus âgés que moi, détail qui me rendait bouffi d'orgueil : fins d'après-midi radieuses à Roland-Garros ; récitals de Clara Haskil, immortalisant la *Sonate posthume en Si bémol* de Schubert, de Guillels, sublime dans Scarlatti, d'Arthur Rubinstein au sommet de son talent ; matinées du T.N.P. où Jean Vilar triomphait dans *Don Juan.* Il parvenait à faire pâlir le souvenir de Jouvet par sa composition cinglante, accompagné de Daniel Sorano qui s'imposait tout autant dans le rôle de Sganarelle ; j'y retournai encore deux fois, dont une avec Dan Sperber qui partagea ma jubilation à l'entendre conclure : « Mes gages ! Mes gages... » *Cinna, l'Avare, Richard II, Macbeth, l'Etourdi, Marie Tudor, le Triomphe de l'Amour,* autant de moments qui méritent un ultime rappel avant qu'un oubli définitif ne les estompe insensiblement de notre mémoire : la qualité de ferveur des très riches heures de Chaillot a embelli nos vies d'adolescents compliqués. Assourdi par sa prise de son, leur écho s'attarde dans le disque qui réunit les charmantes musiques de scène par lesquelles Maurice Jarre se fit connaître.

Au lycée Claude-Bernard, mon camarade Sachs me présenta un brillant sujet, Patrick Lévy. D'une culture générale remarquable, à treize ans il connaissait la littérature française aussi bien qu'un normalien.

Ses connaissances passaient les miennes. Elles passaient aussi les frontières et il me fit lire Kafka. André nous parlait souvent des grands auteurs russes, nous suggérant d'attendre Dostoïevsky en compagnie de Tolstoï, dont je ne connaissais que *la Mort d'Ivan Illitch* et *Maître et serviteur,* nouvelles étonnantes d'intensité dans leur progression dramatique ; il ne nous conseillait jamais à proprement parler, pensant que nous devions trouver nos préférences nous-mêmes, se refusant à nous imposer les siennes.

Les grands chapitres de la littérature universelle, je ne m'en étais d'abord approché qu'à travers les résumés de la collection Contes & Légendes, destinée à en faciliter l'accès aux écoliers.

Découvrant l'intrigue des plus célèbres pièces de Shakespeare, je me souviens d'avoir dit à André que *Hamlet* (bien entendu schématisé à l'extrême à notre usage) me paraissait beaucoup plus facile à comprendre que *Macbeth* : c'était vrai pour moi dans la mesure où j'y projetais directement les difficultés œdipiennes du prince d'Elseneur à voir sa mère remariée avec son oncle. Le mien, d'oncle-père, me répondit que j'étais bien le seul de cet avis ! Mais il ne ricana pas, ne se moquant jamais de nous, même gentiment. Curieusement, ce n'est pas grâce à ma passion pour la musique mais par mon goût pour le théâtre que je me découvris le droit d'aimer valablement des domaines qui ne l'intéressaient guère. Parfois, rarement il est vrai, il se penchait sur une chose en particulier que l'un de nous était sur le point ou en train de faire : Gauthier pour une dissertation, Vincent pour un dessin.

Le jour où je devais me présenter à l'épreuve junior

du concours Léopold Bellan, concours pour pianistes amateurs en culottes courtes, j'avais le trac. Sur un ton doux mais sans réplique, André me dit de le suivre dans la pseudo-salle à manger attenante à son bureau où, je l'ai dit, nous prenions nos repas ; depuis peu, il y avait un piano, là aussi, troisième de la maison, puisque j'en avais un, droit et laqué de blanc, dans ma chambre. « Joue-moi ton morceau », poursuivit-il. Abasourdi, je m'assis et lui jouai sans trop y croire la *Gavotte* de J.-S. Bach imposée, que j'avais soigneusement travaillée. Malgré ma tremblotte, j'allai jusqu'au bout sans drame. « Bien, mon garçon », fit-il en quittant la pièce, me laissant aussi ahuri qu'en nage. Si bien que pendant les heures d'attente de l'après-midi qui suivit, où je vis les candidats de tous poils se décomposer de trac et d'émoi les uns après les autres, je me détendis en me disant que si j'avais pu jouer correctement mon morceau jusqu'au bout pour lui seul, ce ne serait pas grand-chose, comme épreuve, de le refaire pour des inconnus : j'exécutai proprement ma petite pièce et obtins la mention voulue, flatteuse, grâce à son stratagème. Pour nos études, sa philosophie était des moins courantes.

M'étant attiré une réflexion désabusée de ma mère sur une note éliminatoire en maths, je l'entendis l'apostropher : « Mais foutez-lui donc la paix, à ce petit ! » Dois-je préciser qu'en dépit d'une patience véritablement surhumaine de leur part, les malheureux professeurs, que je laissai l'un après l'autre au bord du suicide, se succédèrent en vain pour m'enseigner le minimum de cette discipline ?

Je me rattrapais ou tentais de me rattraper en lettres ou en langues, mais de justesse. Parfois, aussi, je mordais la poussière.

Les petites Finey, de leur côté, étaient bien douées — Irène pour les langues, Nina pour les sciences — mais au grand dam de leur père, leur mère les encourageait constamment à faire la grasse matinée, leur trouvant toujours plus mauvaise mine : tantôt c'était Irène qui, ayant manqué deux jours ses classes, ne paraissait pas encore tout à fait assez bien pour pouvoir y retourner, tantôt c'était Nina qui venait d'éternuer trois fois, etc. J'admirais cet exemple d'un cœur sincère et m'appliquais à le suivre d'aussi près que possible.

Mais Gauthier travaillait bien et me faisait honte, comme mon ami Patrick, dont la conversation m'incitait parfois à me secouer.

Ce qu'il me donnait en lettres, je le lui rendais musicalement, sous forme de disques. Il m'arrivait, après avoir parlé avec lui pendant trois quarts d'heure en bas de notre maison, de l'accompagner jusque chez lui, à l'autre bout de l'avenue Victor-Hugo, après quoi, air connu, il me raccompagnait au 19 bis. Souvent, nous allions déjeuner l'un chez l'autre. Ce qui me frappait en lui, c'était qu'il avait toujours été un adulte : pas trace d'insouciance, nulle frivolité dans sa sensibilité. André le remarqua aussi, qui nous avait emmenés voir *la Reine Christine* : éblouissement du visage de Garbo, après celui de Lucia Bose dans *Mort d'un cycliste*. Patrick avait élu Malraux son maître à penser ; il me trouvait bien léger de lire Colette avec tant de feu. Car deux ans auparavant, ma mère m'avait fait découvrir ses *Dialogues de Bêtes* et cela avait été un coup d'amour. Je ne connaissais pas encore Bel-Gazou, sa fille, qui avait été la meilleure amie de mon vrai père : ces années-là, elle vivait surtout en Italie, dans sa maison d'Anacapri.

Mais je savais que l'auteur de *Chéri* avait trouvé ma mère à son goût et l'avait surnommée « Aveline », du nom d'une variété de noisette sauvage. Quand je lus *Paris à ma fenêtre,* je tombai en arrêt devant une phrase de sa préface relative à la France terrassée par l'invasion nazie de 1940. Bouleversante : « ... car il en va de cet amour [de notre pays] comme de l'autre : la joie nous apprend sur lui peu de chose. Nous ne sommes sûrs de sa force et de sa présence que dans la douleur. » Phrase qui n'eût pas déplu à l'homme du 18 juin.

Je courus signaler le livre à André qui ne le connaissait pas : lisant Colette à cet endroit précis, il conclut que c'était digne de Chateaubriand et partit avec mon exemplaire.

Il aimait à citer une phrase de Péguy étonnamment caustique : « La répétition est la rhétorique des simples » ; ce trait lui revenait à l'esprit notamment au sujet de notre chauffeur, une âme simple, il est vrai, (soulignait-il immanquablement).

Je fus d'autant plus frappé par la marque inattendue d'humanité vraie qu'il lui témoigna lors de la mort de sa femme, tendrement aimée. Le prenant sous le bras, André l'emmena faire une petite promenade sous les marronniers de l'avenue Victor-Hugo : ensemble, ils arpentèrent notre trottoir pendant un assez long moment. Et notre sempiternel conducteur m'en parla les larmes aux yeux, me disant qu'André lui avait confié qu'il « connaissait ça », et avait insisté sur la réussite du couple qu'il avait formé tant d'années avec sa femme.

« Monsieur, c'est quelqu'un », conclut-il.

Lapalissade qui n'en était pas une sur les lèvres de l'homme au sujet duquel André m'avait dit : « Evidemment, quand on l'entend parler, on se dit qu'à côté des gens qui pensent quelque chose, il y a surtout des gens qui pensent qu'ils pensent ! »

Mais ce qui compte, à l'actif du personnage Malraux, c'est ce geste, cet élan désintéressé qui l'avait spontanément incité à vouloir réconforter son chauffeur.

La courtoisie qu'il mettait dans ses relations avec

autrui s'étendait à tous et n'était pas moindre avec ceux qui étaient à son service, même si elle était feinte, pour reprendre un mot qui lui était familier. Mais chez qui ne l'est-elle pas ?

Son commentaire sur Paul Morand, qu'il n'avait bien entendu pas revu après l'Occupation, m'avait bien diverti : « Pour lui, la vie est dure : quand il est chez les Duchesses, il regrette les bistrots, mais quand il est au bistrot, il regrette les Duchesses ! »

Cependant, la politique rôdait de nouveau autour de la maison, car la guerre d'Algérie devenait omniprésente. Aux actualités des cinémas, on voyait souvent succéder aux inaugurations de paquebots des images de sang — « rebelles » abattus, massacres comme à Melouza — projetées aux cris de « Al-gé-rie Fraaannçaise ! ». Après l'expérience de Pierre Mendès France, il y avait eu la vague de poujadisme. Les chambardements de ministères, l'inconsistance gouvernementale, les fins de mois bouclés à Washington avaient fini par lasser les esprits.

L'armée commençait à montrer les dents. En avril, Malraux avait signé avec Martin du Gard, Mauriac et Sartre un texte de protestation solennelle auprès du président Coty contre l'utilisation de la torture comme méthode de guerre en Algérie, et plus précisément contre toute censure, après la saisie du livre de Henri Alleg, *la Question*. Un soir de mai, on sut que de l'autre rive de la Méditerranée, quelques généraux avaient publiquement réclamé un autre gouvernement. Voire un nouveau régime. En une nuit, toute la France se mit à gamberger et le téléphone, devenu fou, à sonner sans cesse, chez nous. Revenu de Venise, André ne le prit pas. « On dit que vous voulez prendre le pouvoir, mon général », avait demandé un journaliste à de Gaulle. « Le pouvoir n'est pas à prendre, il est à ramasser ! » aurait-il répliqué. Ce qu'il n'eût même pas à faire, car le président Coty le lui proposa dès la fin du mois.

« Quand nous étions au pouvoir... quand j'étais ministre... » entendais-je André rêver dans ma petite enfance, évoquant 1945-1946 : le 1er juin, il y était, au pouvoir, de nouveau ministre.

« Finies, mes chères études ! » s'exclama-t-il, à un doigt de chanter, gagné par l'ivresse de cette surprise, divine d'avoir fondu sur lui si soudainement, sans même qu'il l'eût aidée.

« Je vous ai : com-pris ! » dit une voix à la radio. SA voix.

Oui, mon général, vous nous avez fort bien compris... c'est nous qui avons mis quelque temps à vous rattraper.

Le 18 juin 1958, la cérémonie du Mont-Valérien fut du délire : tout le monde avait toujours été gaulliste, une taupe l'aurait vu.

Pendant la Seconde Guerre mondiale, un journaliste suisse, qui travaillait aussi au noir pour la presse américaine et qui avait vu à quatre mois d'intervalle le succès du maréchal Pétain à l'Hôtel de Ville, assiégé par la foule en avril 1944, et en août la liesse des Champs-Elysées autour de De Gaulle *, n'avait-il pas conclu que la France était bien le seul pays au monde dont la population eût doublé en si peu de temps ?

Pendant qu'André laissait les messages de Claude Bourdet sans réponse, la vie prenait d'autres couleurs, officielles, publiques, comme on dit d'une certaine catégorie de promeneuses. Et tandis que la gauche fulminait en défilant « de la Bastille à la Nation » (ironisait André), le bureau paternel se trouvait enseveli sous un courrier décuplé en deux jours, et nous, assaillis d'appels contradictoires, incrédules ou dithyrambiques.

---

* De Gaulle lui-même a écrit que « c'était la mer ».

Les amis de la famille, nous allions en voir s'éloigner pas mal, en perdre quelques-uns, mais nous en faire un peu trop d'autres. La traversée du désert s'achevait en triomphe, on pavoisait autour du général et la rumeur des vivats venait mourir à la maison.

Oui : cette année-là, notre vie a cessé d'être privée. A jamais.

II

LES RUMEURS DU POUVOIR

Tout ce qui n'est pas ivresse est compensation.

Alice JEAN-ALLEY

La colère des imbéciles remplit le monde.

Georges BERNANOS

Charles de Gaulle.

Comment ne pas esquisser la silhouette du grand sorcier qui venait de subtiliser le nôtre ?

Dans mes années les plus tendres, circulaient à travers la maison les timbres du R.P.F., l'affiche où s'indignait une République de Rodin, quelques insignes en forme de croix de Lorraine.

A la suite de mystérieux conciliabules, d'une heure à l'autre, André/Papa disparaissait pendant des semaines.

En tant que chargé de mission, la sienne consistant à sillonner la France pour distribuer la bonne parole, c'est-à-dire porter l'anathème le plus loin possible afin de contrer l'ennemi public numéro un : le parti communiste français. Autour de lui gravitait une manière de cellule comprenant Diomède Catroux, Jacques Soustelle, Christian Fouchet, parfois Edmond Michelet ; Brigitte Friang s'occupait des relations avec la presse. A Jacques Chaban-Delmas, André gardait une fidélité un peu à part. Pendant les accalmies, à des heures plus chrétiennes, Gaston Palewski ou Claude Guy lui rendaient visite lorsqu'ils revenaient de Colombey. « Le Général », qu'André n'appela jamais autrement, vint deux ou trois fois le voir à la maison. Ces jours-là, que ce fût pour un verre ou même pour ce déjeuner, qui eut lieu à trois dans la chambre des parents, détail de nature à renforcer encore le caractère d'intimité de son passage, l'air se figeait. Quant au personnel, il imitait opportunément notre silence : l'événement se situait vingt mille lieues au-dessus de nos têtes. Il s'agissait d'un grand-père spirituel si haut placé qu'il devait à tout le moins rester invisible : nous ne le vîmes donc pas, ne l'entr'apercevant que de loin.

Deviner sa présence en filigrane nous suffisait.

Quand le Général passait un jour ou deux à Paris, André se rendait rue de Solférino s'il était à son bureau, ou à l'hôtel La Pérouse où il le voyait plus tranquillement pour reparler de la situation française sur l'échiquier planétaire — « ... pour le meilleur et pour le pire, nous sommes liés à la Patrie. » (Post-face des *Conquérants.*) Chaque fois que paraissait l'un de ses livres, André attendait la série d'exemplaires à tirage limité et choisissait le plus beau du lot, destiné au seul homme dont il acceptât de n'être que le second ; il relisait la page qui portait une dédicace mûrement élaborée et, s'il ne la trouvait pas digne de lui, gardait le volume en se remettant à la tâche sur un exemplaire jumeau jusqu'à-ce-que. Avec amour.

Depuis que je suis en âge de répondre à une question élémentaire, j'entends celle-ci : comment ces deux hommes ont-ils pu s'entendre ?

Or ce qui m'a toujours le plus étonné de ces questionneurs, c'est leur étonnement : parce que je n'existais pas encore au temps où Malraux symbolisait le phare de la gauche, avant son chemin de Damas ; aussi parce que j'ai grandi à l'ombre de ce lien profond, vécu au fil de ce compagnonnage ; enfin parce que je crois avoir saisi sur quoi cette entente, que les années révélèrent indestructible, se fondait. Initialement, par la confluence de leurs chemins respectifs, qui avait conduit l'aîné à retrouver à ses côtés à Londres les gens de gauche et les volontaires juifs — alors qu'il n'y attendait que leurs adversaires d'avant-guerre — et le cadet à redécouvrir autour de lui, aux heures les plus noires de l'occupation nazie, que ses compagnons de la veille n'avaient ni le monopole du désintéressement, ni celui du sens de la grandeur dont Georges Bernanos dit si fortement qu'elle n'a jamais rassuré les imbéciles.

En second lieu, par l'urgence qu'avait pour eux, sans passer par la solution communiste, la résurrection de notre pays encore mal remis de 1940, défaite répugnante suivie de quatre années d'avilissement concerté.

Finalement sur la base d'une admiration mutuelle, nourrie des actes historiques du Général aux yeux d'André et des deux maîtres-romans de celui-ci pour le Libérateur : *l'Espoir* et *la Condition humaine.* Sur autre chose encore que nous verrons plus loin. Cela avait bien mal commencé, pourtant.

Ici, revient notre amie Alice Jean-Alley.

En 1943, elle vivait déjà dans son studio du 7, rue des Saints-Pères. Merveilleuse de proportions, cette pièce carrée, qui était située au second d'une maison du XVIIe siècle, servait souvent de boîte aux lettres aux combattants de l'ombre. Au mépris de risques abominables — d'autant plus qu'elle était juive —, Alice dépliait un matelas à côté de son lit pour qu'y dorme un parachutiste canadien, un radio britannique ou un fugitif en déroute, Violette Leduc, par exemple.

A deux reprises, on plaça un émetteur chez elle.

Dans le réseau où travaillait l'un de ses deux neveux par alliance, Philippe Liewer et pour lequel il faisait régulièrement la navette entre Londres et la Normandie, on surnommait Alice « la Dame qui nous baigne », car la proximité d'une clinique lui permettait de disposer d'eau chaude à volonté. Elle courait tous les dangers avec une placide témérité, l'air de trouver que c'était tout juste la moindre des choses ; il y entrait une inconscience ou plutôt une grâce qui la protégea de tout. Ainsi, un soir de 1942, la Gestapo fit irruption chez elle, cherchant son mari dont elle était séparée à l'amiable depuis des années mais qu'elle venait d'aider à s'évader et à franchir la ligne de démarcation. Selon sa nouvelle carte d'identité, établie avec deux témoins aryens dont l'un était mon oncle Claude, Alice n'était pas juive ; mais les visiteurs du soir savaient que Simon l'était. Alice leur apprit que sa mère était d'origine allemande et se mit à parler littérature avec leur chef dans sa langue natale, citant à l'envi Goethe, Schiller et Nietzsche, omettant Heine et son *Grand rabbin de Saragosse*... Interrogée sur son mari, elle répondit pour finir qu'elle ne l'avait pas vu depuis dix ans. « Vous devez penser que la police allemande est bien bête ! » soupira son interlocuteur. « Tout le monde peut se tromper... » conclut-elle avec une rêveuse indulgence en le raccompagnant à sa porte, édifié comme tout son gang.

Cette anecdote permet enfin de cerner un peu mieux la personnalité de cet être à part et sa situation plus qu'incertaine dans Paris occupé dont chaque nuit prolongeait le sursis et chaque matin l'angoisse.

Ce qui ramène aux rapports Malraux-de Gaulle, c'est le fait qu'André savait depuis le début 1941 que Philippe Liewer œuvrait dans la clandestinité en relation étroite avec Londres où il avait parfois à retourner. Dans ses *Antimémoires*, il a parlé d'une lettre de lui adressée au Général qui n'avait pu la recevoir, la messagère ayant dû la... manger lors d'une rafle *. Mais Londres était plus étendue que ne le soupçonnait André et, faute d'avoir posé la question directement à Philippe qu'il connaissait à peine et qu'il ne fit rien pour ren-

---

* *Cf. Antimémoires, N.R.F.*, note p. 141.

contrer, il ignorait que celui-ci n'avait aucun rapport avec les gaullistes, lorsqu'il demanda à sa tante de lui transmettre un message verbal destiné au Général. De fait, en 1943, de la Corrèze où il avait échoué, il était brièvement monté à Paris, à pas de loup.

Il y avait rencontré quelques amis, et d'abord Drieu La Rochelle. A partir du 6 février 1934, leur dissentiment politique n'avait jamais cessé de s'approfondir, Drieu se tournant vers une droite généreuse, au cœur noble et rigoureusement française qui n'existait que dans ses songes et ceux d'une poignée de rêveurs. Il s'était d'abord séparé intellectuellement, puis brouillé avec ses amis juifs ; puis il avait perdu, l'un après l'autre, tous ceux de son entourage qui refusaient de le suivre dans sa dérive vers le fascisme. Sauf Malraux. Pourquoi ?

Notre amie Victoria Ocampo et ma communauté de vie avec lui m'ont en partie donné la réponse, jusqu'à ce qui est irréductible à toute explication : l'amitié.

Ce que peu de vivants sont là pour dire, c'est que Drieu La Rochelle avait toujours *épaté* André, qui admirait en lui non seulement l'écrivain de *Interrogation* et de *la Comédie de Charleroi,* mais également sa superbe, son aplomb vis-à-vis des femmes — aplomb et superbe de vitrine, aux dires d'Alice et de Victoria.

Peu importe, d'ailleurs : estime intellectuelle et sens de l'amitié dictèrent à André de maintenir un dialogue avec lui par-delà « le Bien et le Mal » ; mais soulignons-le, car le détail paraît d'autant plus significatif qu'il est unique : c'est lui et non Drieu qui retendait toujours le premier un lien de plus en plus menacé : au temps de Stalingrad et d'Auschwitz, reprendre cet échange de points de vue, c'était travailler sans filet.

Le plus surprenant de tout restant qu'à la malveillance de Drieu — « Malraux va au plus sordide : c'est que lui-même a renoncé à être autre chose qu'un littérateur » (journal du 8 mai 1943) et, pire : « Je meurs sans ami » — avait inlassablement répliqué la main tendue d'André. En 1939, Victoria Ocampo quitta l'Europe pour regagner Buenos Aires ; avant de faire un crochet par Florence pour être la récitante du *Perséphone* de Stravinsky, elle s'était calmement fâchée avec Drieu, « étant d'accord pour être en désaccord sur tout ».

L'auteur de *Gilles* l'avait définitivement exaspérée en l'accusant de garder « une morale d'institutrice anglaise » — on sait ce que recouvrait la sienne...

Parenthèse piquante : lors du dernier essayage d'une robe qu'elle allait emporter avec elle pour le Mai florentin, Victoria demanda à saluer Chanel ; la Première monta voir la patronne, et mit quelque temps à redescendre, pivoine, pour annoncer à l'illustre cliente que « étant donné le voyage que vous allez faire en Italie fasciste, elle estime qu'il lui est impossible de vous revoir. » Rappelons, pour l'ironie du souvenir, que Chanel trempa dans la Collaboration jusqu'à l'extravagance (*cf.* ses biographes) et finit par acquérir la nationalité suisse. Alors que Victoria aida sans limites tout au long de la guerre nombre de réfugiés en Argentine dont Gisèle Freund, Roger Caillois, Etiemble, etc., jusqu'en 1945 où elle subventionna aux trois quarts une collecte qui réunit trois tonnes de vêtements, nourritures et médicaments pour les écrivains français. Ce qui ne l'avait pas empêchée d'offrir à Drieu le refuge de sa maison, juste avant la débâcle nazie. Pour mémoire.

Rencontrant Drieu La Rochelle au printemps 1943, André ne put que s'engueuler avec lui sur toute la ligne. Mais n'avait-il pas accepté quelques mois plus tôt d'être le parrain de Vincent, à la demande de sa mère ?

L'issue de la guerre étant alors plus favorable aux

Alliés, mais encore incertaine, Josette Clotis croyait utile de se couvrir du mauvais côté, avec André et les gosses.

Toujours est-il qu'après ce débat sans issue, André s'était rendu rue des Saints-Pères, où voir Alice lui était plus facile sans Josette, qui ne l'aimait pas plus que la plupart de ses amis.

En outre, il était plus à l'aise pour aborder avec son interlocutrice la perspective d'un engagement dans la Résistance, dont il commençait à se préoccuper, loin de sa seconde femme, qui ne tenait pas du tout à le voir s'y jeter, hantée par la terreur de le perdre : le voir sympathiser avec certains des visiteurs de Saint-Chamant l'angoissait bien assez.

A Paris, André demanda donc à Alice de parler en son nom à son neveu de son désir de rejoindre les Français libres, souhaitant que Philippe Liewer intervienne auprès de De Gaulle pour lui transmettre en personne ses offres de service — il me l'a dit lui-même à plusieurs reprises. Ce qui était rigoureusement impossible à Philippe, agent de première importance du S.O.E., réseaux franco-britanniques du colonel Buckmaster * dont le colonel Passy et le B.C.R.A. tenaient à peu de chose près les membres français — comme Roland et Claude Malraux — pour des traîtres. De Gaulle, qu'il ne connaissait pas, l'eût pris pour un fou ou pour un provocateur. Ou les deux !

A cet égard, mes nombreuses investigations auprès de *tous* les résistants de bonne foi sur les couleurs d'un engagement au sein d'un réseau concordent : quiconque voulait entrer dans la clandestinité combattante y parvenait, mais au hasard de la première porte trouvée — S.O.E. d'obédience britannique, F.T.P. des communistes et sympathisants ou A.S. d'allégeance

* Special Operations Executive.

gaulliste ; quitte à bifurquer en cours de route selon sa préférence.

Alice, elle, avait scrupuleusement transmis le message à son neveu sans poser d'autre question que celle d'André, reparti pour la Corrèze, et qu'elle ne reverrait pas avant deux ans ; elle s'était cantonnée modestement dans le rôle qui lui avait été attribué, pensant que les choses pourraient peut-être s'arranger au sommet, d'autant que son ami le plus proche était à Londres le pilote du Général, Edouard Corniglion-Molinier.

Dans les mois qui suivirent, André n'eut aucun écho de sa démarche — et pour cause, puisqu'elle n'avait pu avoir lieu... Il en déduisit tout naturellement que de Gaulle avait opposé un refus de principe à l'engagement à ses côtés de l'aventurier du Cambodge, de l'écrivain des *Conquérants,* du frère d'armes de la Pasionaria. Tout cela prouve surtout à quel point (non seulement géographique) mon père et mon oncle Claude travaillaient loin de lui et comme il était mal informé.

A la fin de 1943, Roland, mon père, qui avait toujours admiré ardemment André et lui avait rendu service sur service chaque fois que c'était possible — en l'aidant à sortir du camp en 1940 ; en reconnaissant à sa place son fils, Pierre-Gauthier avec joie à la fin de la même année *, et, avec l'assentiment de ma mère, en s'offrant à différer leur mariage pour pouvoir reconnaître le second enfant Vincent (ce que Josette, enceinte, avait refusé, craignant que ce ne fût pour André un encouragement à laisser durer ce qu'elle estimait être une fausse situation vraie) ; enfin, en restant un relais modérateur entre Malraux et sa première femme dans l'intérêt de Flo, qu'il adorait — confia

* Rappelons qu'à la naissance de son premier fils, en novembre 1940, André était toujours marié à Clara et se trouvait ainsi dans l'impossibilité de donner son nom à un enfant naturel.

à ma mère, qui mit vingt ans à me l'avouer : « Il a du génie, mais il peut être bien décevant... »

Le 21 mars 1944, mon père fut arrêté à Brive-la-Gaillarde avec le major Harry Peulevé, un radio et un malheureux quatrième.

Lorsqu'André, qui venait d'apprendre la capture de Claude, sut que Roland, lui aussi, s'était fait prendre, il se décida à quitter sa retraite de Saint-Chamant.

Dans la biographie pénétrante qu'il lui a consacrée, Jean Lacouture a une fois de plus fait preuve de son flair gascon en détectant ce que fut alors son vagabondage en quête d'un engagement, le flou artistique qui baigne cette période restant magistralement conduit dans le récit des *Antimémoires,* à quelques flashes près. Car il s'agissait bien d'un engagement mais certes pas de n'importe lequel : il était trop tard pour mettre à côté de la plaque. Tâtonnant d'abord dans le clair-obscur qui caractérisait la situation mouvante créée par la progression irrégulière des Alliés, alternant les coups de culot — tel « l'état-major Interallié »... dont le mythe précéda l'existence — et les confidences embellies, invariablement guidé par un instinct de sourcier-né et jouant à fond de son don charismatique et de son abattage, au printemps 1944, il se retrouva parmi des combattants de tous poils, unis par l'antinazisme.

Pas nommément chez de Gaulle, répétons-le.

Comme partout en France, dès le jour du débarquement de Normandie, l'action se précipita, André dedans. Blessé à Gramat le 23 juillet, et emprisonné par les Allemands, le bruit de sa mort courut Paris : composant LITtré 74.81, Claude Rostand l'annonça ferme à Alice, qui resta sans voix au bout du fil. Ainsi, les trois frères...

Quant à Clara Malraux, malgré cinq dures années de séparation, pendant les quelques heures qui précédèrent le démenti de la radio, elle s'effondra, sanglotant à travers ces mots : « Mon petit, mon pauvre petit... », prenant brusquement conscience qu'il était horrible de manquer la suite d'une histoire qui méritait tant d'être vécue et allait l'être sans lui. Mais non.

C'est à sa sortie de la prison Saint-Michel, brillamment relatée dans les *Antimémoires,* qu'il put enfin agir. Après avoir repris figure humaine et quelque repos dans l'appartement toulousain de mes grands-parents maternels, il se hâta de retrouver les autres libérés et accomplit un spectaculaire rétablissement de l'avant-dernière heure, tour de force consistant à unifier des volontaires en les galvanisant pour fonder la brigade Alsace-Lorraine, nourrie des rêves de *la Lutte avec l'Ange* — pas seul : avec les Alsaciens Antoine Diener Ancel, Bernard Metz, le R.-P. Bockel et, un peu plus tard, René Dopff et Fischer. Avec comme têtes d'affiche Pierre Jacquot et André Chamson. Brigade qui se lança sur les routes de France en direction précisément de la région dont elle portait le nom et se jeta dans la mêlée en atteignant les Vosges.

Où, comme par la suite, André fut magnifique, ses anciens le proclament à l'unanimité : il y eut Bois-le-Prince, la bataille de Dannemarie, l'entrée à Mulhouse, et Strasbourg ne fut pas reprise par la Wehrmacht, etc. Dans *l'Enfant du rire,* préfacé par André, Pierre Bockel en a parlé mieux que personne. Lors d'une permission de l'hiver 1944-1945, il eut l'occasion de revoir Corniglion-Molinier, vieux complice de l'expédition fantaisiste de 1934 censée retrouver les ruines de la capitale de la Reine de Saba, Corniglion si proche du Général.

— Tu devrais connaître de Gaulle, c'est quelqu'un pour toi, affirma-t-il à André.

— Ce fasciste ?

Succulente réplique à la lumière d'une suite mieux connue, elle. En dépit de l'adulation religieuse que je lui ai vouée enfant et adolescent et malgré la ferveur de l'admiration que je lui porte, je confesse que, dans les années 1960, lorsque je l'entendais nous dire rageusement : « La France sera la France ! », j'avais du mal à garder pour moi un impertinent « ... et réciproquement ».

Mais risquer cette plaisanterie eût provoqué un drame. Tout cela, je l'ai déduit ou recomposé sans l'avoir tellement cherché, au hasard d'interminables conversations à bâtons rompus avec Alice ou des demi-confidences d'André : je n'arrivais ni à comprendre sa rancune vis-à-vis de Philippe Liewer, ni à saisir celle que lui vouent certains résistants comme Philippe de Gunzburg. Pas plus que ce qui l'avait fait se ranger si tardivement aux côtés du Général : après la Libération. A la droite du Père.

Ici intervient le noyau de mon explication d'un lien assez fort pour avoir attelé côte à côte deux hommes si dissemblables qu'ils n'en choisirent pas moins d'être unis dans le même combat pendant un quart de siècle.

En 1930, mon grand-père paternel s'était supprimé d'une façon romaine, parfaitement calme, tout empreinte de maîtrise de soi.

André était de ces êtres qui, lorsqu'ils ne réagissent pas immédiatement à un choc important, enfouissent ce qu'ils ressentent au plus profond d'eux-mêmes et ne se permettent de le revivre qu'à retardement, en général par transposition, réactions bien ultérieures mais alors redoutables, d'une violence inouïe, ravageant tout sur leur lancée, obscurcissant le jugement, et faisant parfois de celui qui en est l'auteur sa propre dupe. Ou encore, comme dans le cas de la relation avec de Gaulle, lui faisant adopter un tout autre registre, à la manière d'un peintre qui, réagissant à quelque chose d'imprévu, comme un brusque changement d'atmosphère, modifie abruptement le caractère de sa composition et supprime toute une perspective pour lui substituer un autre fond qui en fera une nouvelle toile.

La mort volontaire de mon grand-père, André l'avait, à son habitude, ensevelie, comme tout ce qui lui était essentiel. Il l'aimait, en craignant, selon ses propres termes, ce qu'il y avait d'imprévisible dans sa nature, sans se rendre compte que le phénomène se reformerait d'une manière identique entre ses enfants et lui. Ne m'a-t-il pas dit de son père, quatre ans après la mort de ses fils, ce que j'avais entendu presque mot pour mot à son propos dans la bouche de Vincent : « Lorsqu'on lui disait au revoir, on n'était jamais tout à fait sûr qu'on le reverrait ? »

Sa rencontre avec de Gaulle, qui fut véritablement la plus belle récupération du Général, je la vois précisément comme la réparation symbolique, à un niveau de profondeur abyssale, du total rejet de mon grand-père par les siens, réparation opérée grâce à son adoption spontanée par « le plus illustre des Français » — et son aîné.

Avoir été investi de toute sa confiance par un homme au zénith de sa gloire alors qu'il s'était, lui, détourné à jamais du communisme, c'était pouvoir faire converger, que dis-je, coïncider sa double réconciliation : avec l'image tutélaire d'un père choisi, avec l'Histoire. En même temps, recevoir l'adoubement solennel de cet aîné encore plus prestigieux que lui, permettait, dans sa foulée, de se lancer à ses côtés sur une route nouvelle, prometteuse d'aventures et riche d'inconnues...

En une seule entrevue, qui a fait mieux ?

Il peut paraître bien surprenant à mon lecteur que l'écrivain des *Antimémoires* n'y ait presque rien relaté de ce qui, raconté plus haut, fut antérieur à la conversion miraculeuse : ce serait mal connaître le créateur d'images. Après coup, le romancier l'emportait sur le mémorialiste, et dans la célébration de la geste gaullienne, il importait au metteur en scène qu'aucune douteuse obscurité n'eût précédé une rencontre décisive, à laquelle ne convenait qu'un habit de lumière.

D'autant qu'il se pardonnait mal d'avoir tardé à rejoindre les combattants de l'illégalité : maintenant, il était résolu à oublier les péripéties de ce déplorable retard auquel rien ne pouvait plus remédier.

Vingt ans plus tard, il rendrait un hommage bouleversant à ses frères et à tout « le peuple de la nuit » dans le discours qu'il prononcerait à la mémoire de Jean Moulin.

Important : l'admiration affectueuse que de Gaulle et lui se portaient se renforçait encore de ce que les deux hommes avaient une commune singularité, savoir le plus grand orgueil doublé d'une pudeur immense ; n'est-ce pas « la distance » qui l'a frappé en premier lorsqu'il retrouva l'air de la rue Saint-Dominique ? Elle seule permit à deux personnages de ce calibre, pourvus d'une affectivité aussi blessée, distorse et *niée* en eux-mêmes, d'échanger l'intensité de leurs sentiments : « la France », mais pour eux sans guillemets, resta pour l'un, et devint pour l'autre qui l'avait découverte charnellement dans le désastre et l'humiliation, ce mythe sublimé au paroxysme qui autorisait tous les élans et les excès — jusqu'à l'outrance.

Personne plus qu'André ne trouva plus naturel que le Général parlât en 1960 d'incarner la légitimité française « depuis vingt ans ».

Au soir du 1er juin 1958, je l'avais vu heureux comme jamais auparavant : cela en devenait communicatif.

Au lycée, ma vie changea abruptement.

Trois semaines plus tôt, je n'étais qu'un lycéen assez médiocre — non : très médiocre — dont le nom éveillait un petit écho de librairie chez quelques littéraires et aussi chez un professeur de français tout à fait délicieux, M. Weiler (?) : Mallereaux, Malereaud, Malraux ? Soudainement, je devenais un point de mire, un petit bout officiel, une miette de célébrité à la portée de tous. Mon ami de classe, Patrick Lévy, fut traumatisé par l'adhésion de Malraux à ce nouveau gouvernement né de trouble façon sous la menace d'un pronunciamento : je le sentais bien malheureux de ne pas oser me dire à quel point.

Car il ne redoutait pas moins que le pire.

Son appréhension était celle des gens de cœur et de beaucoup de juifs qui avaient trop souffert du fascisme pour pouvoir envisager une seconde sans répulsion que, sous une forme ou sous une autre, il pût renaître pour triompher. Il y avait bien, au centre gauche, quelques voix mal assurées pour avancer que le général de Gaulle n'était pas, ne pouvait pas être un fasciste avec un passé comme le sien : la gauche, personnifiée par une demi-douzaine de vedettes, répliquait que même si lui n'en était pas un, le prestige de ses états de service servirait à faire le lit d'une dictature d'extrême droite. D'où la nécessité, le devoir imprescriptibles de le combattre.

Il y avait dans cette mise en équation tout ce qui pourrait séparer André de sa fille. Dès son arrivée au pouvoir, il lui avait demandé de quitter son travail pour envisager de l'aider dans ses nouvelles fonctions ; elle avait immédiatement refusé, non seulement parce que toute la rédaction de *l'Express* avait vécu la dernière quinzaine de mai dans l'angoisse d'arrestations imminentes par les paras, de défenestrations sur les Champs-Elysées et de séances de « gégène » telles que les décrivait la *Question* de Henri Alleg — livre saisi, je le rappelle, un mois avant le retour de De Gaulle — mais aussi parce que travailler au sein de cette équipe lui plaisait beaucoup. La présence de François Mauriac, fidèle à son « Bloc-Notes » en dernière page du journal et nettement favorable à l'avènement d'une autre République élaborée sous le képi du Général, l'attitude de Jean Daniel, beaucoup plus averti et sensible à la réalité maghrébine, de par ses origines, que les autres membres de l'équipe entretenaient encore en elle l'hypothèse que, malgré toutes les apparences, son père ne se trompait peut-être pas absolument.

Deux mois plus tôt, n'avait-il pas contresigné avec Martin du Gard, Sartre et Mauriac lui-même une protestation contre la censure et surtout contre la torture comme si elle pouvait être autre chose que la honte des hommes : ceux, bien sûr, qui la pratiquent, mais aussi ceux qui ferment les yeux pour ne pas voir ce qu'elle est.

Accédant au pouvoir, l'un des premiers soucis d'André fut de tenter d'enrayer l'engrenage qui avait conduit un certain nombre de soldats encore propres à leur arrivée dans le bled à s'y habituer progressivement jusqu'à ce que, à leur tour, ils apportent leur contribution à l'immonde besogne, souvent motivée par un choc réactionnel : par exemple après avoir assisté au spectacle de Melouza le lendemain du massacre, ou trouvé l'un de leurs camarades émasculé, la bouche bâillonnée par son sexe... D'autres la pratiquaient par faiblesse, d'autres froidement, d'autres, encore, pour le plaisir.

En vérité, ne craignons pas de le dire : cette guerre était pour la France une gangrène morale, et la torture ne cesserait, ne pourrait cesser tout à fait qu'avec la fin du conflit.

André, alors très incomplètement au fait des problèmes algériens, se fit fort de mettre fin à pareille horreur.

Je soupçonne ses divers interlocuteurs de ne l'avoir écouté qu'en réprimant bâillements et sourires à le voir préoccupé par l'une de ces questions d'idéalistes qui n'ont jamais empêché un politicien de fermer l'œil ni ravagé un notable en bonne santé : puisque ce n'est pas rentable en termes de consultation électorale, pourquoi s'énerver là-dessus ? Mieux vaut préparer la prochaine campagne...

Il fallait avoir la naïveté dont il était aussi capable, alliée à toute sa foi en de Gaulle — personnellement opposé à ces méthodes abjectes — pour croire, comme lui, ce qu'il déclara quelques temps après avoir pris le portefeuille de l'Information : « On ne torture plus. »

Je puis l'attester, pour m'être trouvé dans la coulisse et l'avoir entendu me le dire calmement, qu'il l'a cru sans équivoques.

Là encore, les plus beaux noms de la gauche, également sincères, donc aussi animés que lui par leurs passions politiques, et tenants également de certains principes, s'étouffèrent de fureur : comment pouvait-il oser mentir si effrontément ?

Non.

Comme à tout le monde, vous, moi, il lui est arrivé de mentir : mais cela ne le définissait pas vraiment. Il était plutôt porté par un mélange détonant de créativité permanente, de besoin d'exprimer en métaphores ou en aphorismes une parole destinée aux siècles à venir bien plus qu'aux individus, avec la mégalomanie que cela implique : est Malraux qui peut, non qui veut. Avec, c'est vrai aussi, parfois des accès de complète mythomanie, ressortissant tout autant à cette imagination créatrice mais pure de tout calcul : belle. D'un poète. Je me souviens, à quatorze ans, d'avoir pensé qu'il se trompait peut-être, et qu'on pouvait l'abuser, lui, Malraux. Supprimer la torture lorsqu'elle fait partie d'une situation quotidienne ne peut pas se faire « comme ça » : il n'a pourtant pas douté de l'efficacité de son action. O crédulité des grands intellectuels !

Lorsqu'il proposa aux trois prix Nobel français de

constituer une commission d'enquête et de se rendre eux-mêmes sur place, ils se récusèrent avec une belle unité.

Relouée à Pâques 1958, « Maldagora », l'été arrivé, fut prise par quelqu'un d'autre, et lui succéda « Usotegia », charmante maison basque traditionnelle bien plus modeste, à proximité d'un petit bois proche d'Arcangues. J'y allai avec ma grand-mère et y restai près d'un mois pendant lequel les parents ne vinrent qu'un week-end, emmenant Flo dans leur avion. Bien ou mal, le dialogue se poursuivait entre le père et la fille, malgré l'hostilité chaque semaine plus grande de *l'Express* à l'élaboration d'une nouvelle Constitution et à la préparation d'un référendum qui en légaliserait l'adoption.

Toutefois, il arrivait à André d'émettre certaines réserves sur le Général, dans la paix feutrée de son bureau et en tête à tête, il est vrai ; au moment où il constitua le gouvernement de sa rentrée, André me confia qu'il lui trouvait plus de discernement lorsqu'il s'agissait des militaires que des civils, en quoi, il avait sans doute raison. Pour ce qui était de l'urgence d'un règlement du conflit algérien, il est permis d'imaginer que le général de Gaulle, sans croire ferme à une solution française, eut tout au moins au moment de son retour des rêves en ce sens — brièvement ; capable d'être, s'il le fallait, machiavélique — heureusement pour nous — il ne l'était pas au point de s'écrier, comme à Mostaganem : « Vive l'Algérie française ! » S'il n'y avait pas cru, ne fût-ce qu'à l'instant de ce vivat, pourquoi se serait-il désigné à tous comme un imposteur décidé à berner tout le monde à la fois pour se déjuger ensuite, alors que sa position était encore si mal assurée ?

Retenons que cette exclamation resta unique.

Car enfin, lui aussi, il tenait à son image.

Cet été-là, on le disait volontiers prisonnier de l'Armée : il prouva le contraire en se faisant haïr chaque jour un peu plus des généraux, jusqu'à certain putsch...

Suis-je en train de me livrer à un plaidoyer pour de Gaulle ou pour Malraux sous son règne ?

Non pour le Général, qui s'en passe d'autant mieux qu'une garde de fidèles s'en charge avec ferveur sans désemparer. Ayant toujours admiré de Gaulle mais n'ayant jamais eu d'engagement militant ni ressenti la moindre attirance pour le fourre-tout Uènèrudéèrrepéère, je suis incapable de me faire son propagandiste, à supposer que cela ait un sens.

Trop de gens aujourd'hui parlent en son nom, comme si quelque chose les y autorisait : le gaullisme est mort le 9 novembre 1970 avec l'homme qui lui avait donné vie. Seuls gardent le droit de se dire gaullistes ceux qui ont risqué leur vie ou leur carrière à ses côtés ou bien ceux qui, quel que soit leur âge, restent ses admirateurs : quant à ceux qui « font » du gaullisme, nous n'en manquons certes pas, mais ils me rappellent ce jeune homme de province qui, à la Libération avait demandé sérieusement à sa mère : « Maman, qu'est-ce que vous croyez ? Il vaut mieux « faire » communiste ou franc-maçon ?... » comme on fait Polytechnique ou l'E.N.A.

Ce que je revendique ici pour André, c'est son droit d'avoir aimé, admiré et servi cet homme. Et, partant, lutté pour lui.

Rappeler quatre faits. Que de Gaulle a été pour la Résistance française à l'occupation nazie, au-delà des étiquettes, le symbole éclairant dont parlait Emmanuel d'Astier de la Vigerie. Celui aussi qui, fin 1944, par sa clairvoyance a su faire coup double en signant le pacte franco-soviétique et en obtenant du P.C.F. non seulement le désarmement des milices populaires qui épargna aux Français un début de guerre civile, comme ce fut le cas en Grèce, mais encore un appel à la collaboration de classes. Qu'à son retour de 1958, il ne nous a pas imposé le fascisme, il nous en a protégés. Enfin qu'il nous a délivrés du cauchemar de cette guerre atroce en Algérie — oui, dire cela et ne dire que cela, ce n'est plus, ça ne peut plus être utilisé par les politiciens, c'est se borner à dresser quatre constats historiques. Une fois ce postulat admis, quoi de plus légitime que de passer le reste au crible ? Sauf exception, j'affirme qu'André le concevait fort bien, intellectuellement. Mais « l'action est manichéenne » a-t-il dit et écrit : hélas, oui. Ce qui l'est si fâcheusement dans le club des *Temps modernes,* c'est que tout en refusant aux intellectuels le droit de participer au pouvoir, il ne leur reconnaît que celui de le contester tout en le prescrivant sous forme de devoir d'une façon aussi intolérante : si vous ne reprenez pas notre antienne *hic et nunc,* vous vous rendez complice d'une imposture et devenez vous-même un imposteur. Pas moins.

Ce manichéisme du tandem Sartre-Beauvoir finissant invariablement par schématiser à l'extrême l'analyse de toute conjoncture pour l'ajuster vaille que vaille à leur vérité de l'après-guerre — Sartre seconde manière décrétant le marxisme comme l'horizon philosophique indépassable de notre temps, sidérait André au moins autant que son attachement à de Gaulle les indignait.

Mais s'il continuait à lire Sartre, il ne s'intéressait plus guère à Beauvoir, longtemps avant que ce fût réciproque, comme le proclame *Tout compte fait* *.

En son temps, cependant, il avait beaucoup apprécié *le Deuxième sexe,* notamment le chapitre intitulé « Montherlant ou le pain du dégoût » ; il trouvait

---

* *N.R.F.,* 1972.

Beauvoir excessive dans l'estocade finale — « Oui : quelle rigolade ! » — car il gardait toute son admiration d'écrivain pour l'auteur de *Encore un instant de bonheur* — bref, excessive mais brillante, incisive.

A partir de son retour au pouvoir, il finit par se désintéresser d'un procès qu'il trouvait erroné : lire en « Lettre ouverte à André Malraux » les vomissures successives des membres de la rédaction des *Temps modernes,* mais pour quoi faire ?

Cela ne le mettait pas du tout hors de lui, car, comme de Gaulle, il pensait que ce groupe parlait d'un homme qu'il n'était pas. Dans *la Force des choses,* Simone de Beauvoir raconte très sérieusement que lors d'une représentation officielle à laquelle elle était aussi conviée, « Il (lui) fut pénible d'entendre les hymnes français et allemand en présence de Malraux. »

Ce que c'est que d'avoir souffert de notre pauvre siècle.

Si encore on pouvait attribuer à une foi stalinienne ce ton ulcéré, installé dans une indignation permanente — mais non : elle n'a jamais été vraiment communiste.

Ce qui ne l'empêche pas de pratiquer abondamment l'amalgame — « Le « Monde libre »... Malraux ou Salan... Franco ou Kennedy » — analogue à celui qui l'assimilerait, elle, aux staliniens. S'il est vrai, comme me l'a dit André, que « chaque époque invente sa niaiserie », le plus troublant reste l'étrange monopole de la vérité tel que se l'arroge le couple intellectuel qu'elle forme avec Sartre ; alors je pose ces questions : aujourd'hui qu'ils ne nient plus du tout la réalité concentrationnaire soviétique nommée *l'Archipel du Goulag* par Soljenitsyne, que reste-t-il de leurs notes éliminatoires ? En quoi leurs contradictions dialectiques à eux étaient-elles fécondes — et de quelle action politique ?

Enfin, en quoi celles des autres étaient-elles insoutenables ?

Les autres, en vrac : Raymond Aron, Arthur Koestler, Stephen Spender, Manès Sperber, David Rousset, Albert Camus, Etiemble, Denis de Rougemont, un temps Maurice Merleau-Ponty, mais combien est-ce que j'en oublie, de ces débiles auxquels ils ont obstinément refusé le droit de dire pendant vingt-cinq ans l'évidence qu'ils admettent aujourd'hui sans jamais reconnaître une erreur ?

Il ne fallait le dire qu'à l'heure de leur montre, seulement titillée par les fautes de Staline mais scandalisée au-delà de tout par les crimes commis contre l'humanité par le général de Gaulle...

Oui, quelle rigolade ! A condition de trouver encore la force de rigoler avec le Goulag pour toile de fond.

Pendant que les juristes mettaient la dernière main à cette Constitution, André avait repris son rôle de porte-parole itinérant et emmené ma mère aux Antilles, en Guyane, en Afrique noire pour galvaniser les voix lointaines qui, dans l'hypothèse d'un revirement subit, seraient la force d'appoint d'une majorité indispensable pour un changement dans la légalité.

Peu de temps après la rentrée qui salua l'impressionnante onction conférée au Général, avec 84 % de oui, André s'égaya lorsqu'il lut la déclaration solennelle de Dionys Mascolo : « Je déclare Charles de Gaulle usurpateur. » Le procès d'intention fait par toute la gauche au Général se poursuivait : le fascisme n'était pas encore là, mais après cette approbation populaire « truquée par la bourgeoisie » il progresserait comme l'avait fait le régime de Hitler après son accession légale au pouvoir.

Mythe plus durable que celui de la « fraternisation » entre Français et musulmans, qui avait fait long feu : dans une conférence de presse, André en avait parlé avec foi et chaleur à cause de tout ce que le mot fraternité appelait en lui de fervente mémoire.

A revoir les actualités d'alors, il semble qu'il y ait eu une fraternisation locale à Alger et dans quelques grands centres sans doute parce que, pour certains Algériens, le nom « de Gaulle » sonnait comme un talisman magique et faisait croire à l'impossible. Ce ne fut qu'une flambée sans lendemain.

Au lycée, je continuais à parler quotidiennement de tout cela avec Patrick Lévy, à qui la lecture de *France-Observateur* faisait vivre un tourment hebdomadaire. A *l'Express,* Jean Daniel était bien isolé à essayer de voir plus loin en faisant l'effort de discerner d'autres choses que celles apportées par les nouvelles de l'heure, François Mauriac s'opposant à tout le reste de l'équipe avec un mordant assez savoureux pour inciter des lecteurs très différents à l'achat du journal. En attendant, je souffrais, comme ma mère, de voir le malentendu se conjuguer au dialogue de sourds et gagner du terrain entre André et sa fille, dissentiments que leurs entourages professionnels travaillaient à aiguiser avec une imperturbable bonne conscience. Qu'y pouvaient nos vœux pieux et mes quatorze ans éperdus de bons sentiments ? Rien, sinon limiter certains dégâts en maintenant un état d'esprit d'ouverture. Comme pour Vincent.

Lui, il était bien revenu à la maison et avait fait quelques mois acte de présence au lycée Claude-Bernard ; mais les communications entre père et fils, déjà si hasardeuses, n'avaient fait qu'empirer et il était de nouveau pensionnaire, cette fois à l'école des Roches, à Verneuil-sur-Avre. Le dimanche, ma mère et moi, André plus rarement, allions déjeuner avec Vincent : le moment de le quitter réveillait toujours la même blessure. Il fallait toute la chaleur de l'hospitalité russe de la maison-sœur pour me distraire de cette plaie.

C'est pendant l'été 1958 que Gauthier et Vincent

perdirent leur grand-père ; M. Clotis était mort d'un cancer et sa disparition fut un grand choc pour eux, car ils l'adoraient. Cette fois, le dernier lien direct avec leur mère leur était arraché.

A Noël, je suivis ma seconde famille en Suisse, laissant mes frères rejoindre un groupe d'amis en Italie. Là encore, ce furent des vacances plus pittoresques que sportives, essentiellement passées au pied du lit de Sonia, intarissable Schéhérazade de mondes disparus : Russie tsariste de son enfance, Allemagne pré-hitlérienne de ses vingt ans, stricte Angleterre de l'avant-guerre où les cuirs de son anglais de super-Popesco mettaient en joie les loyaux sujets de S. M. George VI, avec à l'arrière-plan le drame constant de savoir son premier mari, Ossip Belinki, condamné à brève échéance par une affection incurable.

Ma mère réussit à échapper à la vie officielle pour le week-end de la Saint-Sylvestre : sa présence fut mon vrai cadeau, meilleur que tous ceux qu'elle distribua autour d'elle.

Après un réveillon particulièrement copieux, à l'aube, on vint dans le bar, où sous les confetti s'attardait notre tablée, la prévenir qu'elle était demandée au téléphone : elle se leva, intriguée.

Et revint méconnaissable, nous apprenant que Gauthier était si gravement malade qu'on avait dû le transporter de Bardonnecchia à Turin, où il se trouvait hospitalisé. Sans très bien savoir de quoi.

Notre amie Suzanne Roquère, devenue alors la femme de Grégoire Salmanowitz, passait aussi les fêtes à Crans. Elle facilita notre départ en catastrophe, et nous dépanna pour qu'une voiture de place nous emmène en Italie, où nous arrivâmes vers l'heure du déjeuner. Entrant dans la chambre d'hôpital de Gauthier, nous le trouvâmes gisant sur le côté, foudroyé par une pneumonie à virus qui revêtait l'aspect d'une hémiplégie : c'était monstrueux de supporter le regard fixe de ses grands yeux bleus sans qu'il pût parler, le visage inerte.

André atterrit une heure plus tard et, dès que ce fut possible, ma mère et lui le rapatrièrent par avion, Vincent et moi rentrant par le train de nuit.

Par une sorte de miracle dans lequel les antibiotiques les plus puissants étaient l'essentiel, nous assistâmes à une amélioration relativement rapide de son état — et spectaculaire : il retrouvait la parole, nous pouvions respirer. On fit assaut de prévenances et de gentillesses à son chevet et s'il y en eut beaucoup, il n'y en eut pas trop pour atténuer l'horreur entrevue pendant plusieurs jours.

Dans la vie publique française, le ton montait parallèlement à la fièvre. La gauche, encore humiliée par la mise sur le pavois du Général, ne trouvait pas de mots assez durs pour qualifier cette Ve République, suscitant des polémiques de plus en plus agressives dont celle de Mauriac et J.-J. Servan-Schreiber poursuivie dans chaque numéro de *l'Express* reste un reflet exemplaire.

L'Armée, les Français d'Algérie, les grandes puissances d'argent découvraient sans trop y croire que le consentement « franc et massif » qui leur avait échappé était peut-être en train de changer de sens par les soins du destinataire. Mon ami Patrick n'en dormait plus et ses questions devenaient d'une âpreté comminatoire : comment mon père pouvait-il, etc.

Entre mes deux sœurs-voisines et mes rêveries souvent tristes d'adolescent choyé, je ne faisais même plus semblant de travailler, et à la fin de l'année scolaire, mes résultats furent si piètres qu'il fallut envisager de changer d'établissement.

Il fut décidé que Janson-de-Sailly remplacerait Claude-Bernard, avec quelques examens de passage à la clef, en latin et en maths : ayant chômé pendant neuf mois, il faudrait transpirer sur des manuels qui avaient gardé intacte leur odeur de colle fraîche... Quelques jours après le début des grands départs de l'été, Patrick m'écrivit une longue lettre d'Espagne, où il avait rejoint ses parents et sa sœur jumelle, Muriel : à s'y méprendre, on y lisait en filigrane l'éditorial de *France-Observateur,* outragé comme de juste. D'un coup, l'exaspération me gagna ; je pris ma plume et lui adressai une lettre par courrier tournant, que j'eus soin de lire à André avant de la poster : il la trouva plus agréable pour lui que pour mon camarade, me suggérant d'en adoucir les termes. Ce que je me gardai de faire : ce fut ma première brouille.

Pour estomper encore le souvenir qui restait à Gauthier de la terrifiante alerte des sports d'hiver, André lui offrit un voyage à Rio de Janeiro ainsi qu'à son ami Albi Cullaz pour qu'il n'y soit pas seul, et ce fut pour eux le temps d'une croisière extraordinaire. Plus modestement, j'allai jusqu'à l'île de Port-Cros où se trouvaient Vincent et son meilleur ami, le chaleureux Alain Copel rencontré en Italie peu de jours avant que Gauthier ne tombe si malade. J'y rencontrai l'un des êtres les plus attachants, les plus singuliers qu'il m'ait été donné de connaître : Marceline Henry.

Mariée à seize ans à un homme qui en était follement amoureux depuis l'âge où elle jouait à la poupée, elle avait découvert cette île avec lui et ils s'en étaient éperdument épris.

Les années passant, Marceline avait vu ses relations avec Henry changer de registre : elle avait repris sa liberté et lui la sienne. C'est aussi à Port-Cros qu'elle avait vécu l'autre grande histoire d'amour de sa vie, avec un certain Claude Ballines. Plus tard, les Henry avaient revécu sous le même toit mais sur un plan tout autre, son mari la présentant comme une « sœur d'élection » ; l'île restait leur cause commune. Aux marchands de biens qui les avaient assaillis de leurs convoitises, aux mercantis qui avaient tenté de les corrompre par des offres fabuleuses, Henry et elle avaient opiniâtrement opposé un mélange efficace d'ingéniosité inventive dans le maquis des procédures et de désintéressement absolu pour eux-mêmes. A un lotisseur qui croyait lui apprendre quelque chose en lui disant qu'elle dormait sur un matelas de milliards, elle avait répliqué qu'elle le savait fort bien mais qu'elle ne pouvait dormir que sur lui, risquant sur tout autre de perdre le sommeil. Restée seule, Marceline avait tenacement continué à protéger cette merveille. A plusieurs reprises, elle avait déjà épargné à cette île la vérole immobilière qui rongeait inexorablement la côte en gagnant une bataille après l'autre. Mais elle savait l'issue de celle qui venait de s'engager très incertaine, l'autre copropriétaire de Port-Cros lui faisant un procès qui s'annonçait inextricable et voulant l'île pour elle seule.

Cette fois, c'était plus difficile : elle n'était plus jeune, et sans descendants directs, qui pouvait lui garantir qu'ultérieurement, la demanderesse de l'autre côté, si elle gagnait sa partie, ne monnayerait pas ce morceau égaré du paradis ?

Soutenue par son voisin et ami Saint-John Perse, par Jean Paulhan et Marcel Arland, qui avait conçu *la Vigie* à Port-Cros, elle n'en passait pas moins pour une vieille folle dans le Var. Surtout depuis que, l'année précédente, la mort de Joseph Clotis, auprès de qui elle avait scrupuleusement assumé ses fonctions d'adjointe au maire d'Hyères une décennie durant, l'avait privée de son appui personnel.

Il lui fallait de nouveau se débattre en tous sens, reprendre constamment sa plume et ses dossiers pour adresser à la sous-préfecture de Toulon ou à la Cour d'Aix-en-Provence les preuves, témoignages, pièces justificatives, photocopies ou duplicatas d'actes notariés ou faits sous seing privé accumulés avec peine, tout en sachant qu'au virage suivant, il faudrait en trouver d'autres.

La dame d'en face ne lâchait pas, forte de ses milliards, et irritée de voir Marceline se défendre, puis contre-attaquer avec tant de santé. « Votre père est mort vieux ? » lui demanda-t-elle, impatientée. « Pas tellement, mais sa mère est morte à cent ans moins trois mois », répondit Marceline.

Dialogue digne du Henri Becque des *Corbeaux.*

Pour l'heure, elle poursuivait le combat, plus résolue à le gagner que pressée de rejoindre un monde meilleur.

Restée une belle vieille dame, elle ne s'habillait plus que de robes longues aux teintes pastel, toutes taillées sur le même modèle Empire mais parfaitement simples, dans lesquelles on imaginait volontiers l'impératrice Joséphine jardinant.

Ses cheveux devenus blancs, Marceline avait gardé la coiffure à macarons qui encadrait joliment un visage régulier où étincelait avec une jeunesse surprenante le regard tour à tour nostalgique et frondeur d'yeux lilas mouchetés de brun. « Feinte douceur ! » commentait un vieux poète local avec l'accent du cru. O combien. Ce monsieur âgé respirait avec quelques fidèles une douceur de vivre encore plus prenante d'être si menacée : tous familiers du *Manoir,* modeste hôtel qui lui permettait de vivre depuis son ouverture, l'été 1939, et qui lui survit, charmant petit édifice du XIXᵉ de caractère vaguement colonial auquel on n'accède qu'à pied et qui se découvre au détour d'un majestueux fouillis d'eucalyptus.

Avant sa mort, l'acharnement de Marceline à soustraire l'île de Port-Cros aux appétits que la cernaient aboutit *in extremis* à la création d'un parc national qui ne lèse personne et profite à tous, le mot étant à prendre à la lettre : car si les hommes peuvent s'y promener ou y séjourner en toute liberté, ils doivent aussi y laisser vivre bêtes et plantes sur la terre comme sous la mer. Ni pêche, ni chasse.

Lorsqu'elle nous y accueillit, l'été 1959, Vincent, Alain Copel et moi, s'y trouvait aussi un jeune professeur de philo, Emmanuel Doucy, que le père Pierre Bockel avait attribué à Vincent — en quelque sorte son précepteur, timide ange gardien ou souffre-douleur ébloui selon les heures. De fait, ayant déjà souvent fait l'école buissonnière au temps de l'Ecole des Roches (et même bien avant), Vincent avait, à seize ans, décidé de la faire une fois pour toutes : en pleine cavale parisienne, il s'était fait coffrer par les gardes du corps attribués à André, qui l'avait envoyé en Alsace, d'abord dans un collège de jésuites, et puis très vite à Strasbourg.

L'ayant pris sous une aile protectrice mais légère, Bockel s'en était fait adopter aussi vite qu'il l'avait lui-même adopté et aimé comme il sait aimer, son don d'amitié ne faisant qu'un avec le regard qu'il pose sur tous, à la fois séparé et uni à autrui par les lentilles de contact du Christ.

Toutefois, il précise à l'usage de ceux qui en douteraient qu'il « n'est pas pêcheur à la ligne ».

Vincent me confirma que jamais il n'avait tenté de le gagner à sa foi : c'est pourquoi il parvint à l'en rapprocher tellement, réussissant à lui montrer qu'il était aimé pour lui-même et non comme fils-de-son-père. Ainsi le réconcilia-t-il avec sa vie, aucun de nous ne pressentant à quel point c'était urgent.

Sauf, peut-être, lui-même, qui m'apprit un peu plus tard que, selon une prédiction récente, il n'atteindrait pas vingt-cinq ans, ajoutant pour commentaire : « Courte et bonne ! », avec ce sourire dont ma mère disait qu'il vous ferait baptiser un sabot.

Je quittai Port-Cros pris au cœur par son exceptionnelle pureté, et bien résolu à y revenir pour mieux connaître sa châtelaine. Et retrouvai la famille Finey sur le bassin d'Arcachon.

Des neiges helvétiques aux embruns du cap Ferret, Sonia transportait le même scénario et ses accessoires ; « Heure Bleue », Gitanes expirant au bout d'un fume-cigarette Cartier, promenades dans son passé, auxquelles convenaient mieux les murs de sa chambre que les grands pins ou l'Océan. Whisky et vin rouge coulaient à flots entre elle, les filles, Nona Gratier, Anglaise de Bordeaux et Nada Perriez, Bordelaise d'origine yougoslave qui avait bien voulu m'ouvrir les portes de sa maison. Ma mère avait suivi le grand homme dans une énorme pérégrination en Amérique du Sud — Brésil, Argentine, Pérou, Chili.

Au « Canon », je m'efforçai de travailler le latin avec un professeur malchanceux et les maths avec Bernard Lenclud, qui n'avait pas mérité ça. J'y avais d'autant plus de mal que souvent Jacques Finey, qui restait sobre, me proposait d'aller faire un tour en bateau sur le bassin, où il aimait pêcher, ou bien Nada m'emmenait en balades à travers l'immense pinède, ou bien encore toute la bande se retrouvait au bord de l'Océan pour y passer des journées entières dont nous revenions saoulés de vagues, de vent et de soleil.

Nona Gratier nous rendait malades de rire en nous racontant avec un accent aussi britannique que celui de Sonia était russe ses démêlés avec des commerçants ou des fonctionnaires locaux pendant l'exode et toute l'Occupation allemande : l'entendre lire à voix haute le Céline au retour triomphant de *D'un château l'autre* menait droit à la griserie. Quant aux dialogues de Nada Perriez et de Sonia, je ne me consolerai jamais tout à fait de ne pas les avoir enregistrés, car ils attiraient tout le voisinage, par l'étendue de leurs registres conjugués : sublimes coq-à-l'âne, anecdotes de la guerre où la veine épique se colorait d'incongruités, faits divers tragi-comiques, ou « mots » ininventables qu'elles empruntaient aux gens du cru, récits de catastrophes qui tournaient brusquement à la farce, virant de la calamité pince-sans-rire à la loufoquerie sans préavis : spectacle inépuisable.

Sonia pulvérisa ses records de cuirs en déclarant pompeusement qu'un pauvre chien des environs était venu la trouver, si malheureux de ses démangeaisons que, prise de compassion, elle avait dû le « dépuceler »...

A la stupéfaction de tous les miens, je réussis à passer les deux petits examens qui me permettaient, encore plus surpris que content, d'entrer à Janson-de-Sailly. J'y avais été mieux préparé entre mon retour de vacances et les épreuves car j'avais retravaillé en voisin avec Mme Obolinsky, ancien professeur à la Petite Ecole Nouvelle, avec qui les Finey étaient restés très liés. Avenue Victor-Hugo, à Boulogne, sur le même trottoir que nous, demeurait une ancienne maison particulière dans un état... célinien.

« Mme Obo » y dirigeait une école libre, surtout libre de s'écrouler : en y pénétrant, on évitait prudemment les trous du plancher pour gagner la salle de classe où elle enseignait en se demandant, perplexe, comment l'édifice tiendrait encore debout jusqu'au lendemain. Avec un désintéressement sans rival, Mme Obo (Lolenka pour les intimes) recueillait dans un esprit de pur apostolat des enfants paumés, difficiles, chassés de partout ailleurs.

« L'établissement ne paie pas de mine » disait-elle avec malice aux bourgeoises de Passy qu'elle raccompagnait au seuil de l'école, le chapeau en déroute, encore effarées de confier leur mauvais sujet à une institution où manquait l'équipement le plus sommaire et dans lequel les vitres entières se comptaient avec peine sur les doigts d'une main.

Dès que j'y entrai, Janson-de-Sailly me plut bien davantage que Claude-Bernard. En seconde, j'aimai tout de suite beaucoup un garçon, comme par hasard d'origine russe, Serge Zolotoukhine. Il était le plus doué de la classe et ne travaillait presque jamais, sauf dix minutes par semaine. Mais quelle moisson ! Son exemple m'encourageait dans ma nonchalance naturelle, ce qui me le rendait encore plus sympathique. En revanche, Pierre Gaillard, fils d'enseignants, bûchait ferme.

Rapidement, nous formâmes un trio de complices.

Maintenant, je voyais beaucoup moins André, mais ces nouveaux amis, je fus content de les lui présenter.

Comme ses parents, Pierre était politisé comme on pense, à gauche, mais il avait assez d'imagination et d'humour pour vivre autrement que l'injure à la bouche. Serge, avec son clair visage, était un nihiliste inspiré, peut-être le seul anarchiste que j'aie rencontré dans mes années de lycée, sans doute parce qu'il était si peu français. Malheureusement pour lui, le dénuement effrayant dans lequel se débattait sa famille était loin de faciliter ses grands rêves, et son goût du faste et du raffinement s'épanouissait mieux dans la grande pièce de Boulogne que chez lui.

Après les cours, au lieu de préparer la dissertation de la semaine ou de revoir une leçon de géo, Pierre et lui venaient souvent à la maison pour refaire le monde ou écouter des disques sur mon phono depuis que j'en avais un. De temps à autre, nous passions devant le bureau d'André, qui les croisait à l'improviste en revenant du ministère. Il fit mon bonheur en racontant un soir qu'au reçu d'une lettre circulaire du Premier ministre à tous les autres, rédigée sur un ton comminatoire, il avait répondu en renvoyant la sienne à l'expéditeur, accompagnée d'un mot sur lequel il avait simplement écrit : « Mon cher Michel, votre lettre m'a déplu. Vous voudrez bien m'en écrire une autre. Signé : André Malraux. » A la suite de quoi il reçut quelques lignes aussi confuses qu'embarrassées. Il fit bien, mais fut le seul à le faire.

Il arrivait que Vincent, tenant discrètement Pierre Bockel au courant, prît une énorme moto et vînt à Paris pour la fin de la semaine retrouver Alain Copel, courir les filles pour les comparer à celles de Strasbourg, flâner au hasard des rues, des galeries de tableaux. Depuis quelque temps, il dessinait à tout propos, et peignait chaque fois que la possibilité matérielle de le faire se présentait à lui. C'était tellement inventif, personnel, que son père commençait à s'y intéresser, pourtant peu suspect de lui décerner des louanges ; Gauthier ne manquait pas de dons, mais c'était en Vincent que l'on pouvait discerner, déceler un peintre. Un vrai.

Le courrier m'apporta plus d'une fois des cartes postales où, à côté des indications d'usage, ne figurait qu'un croquis, le plus souvent au crayon à bille ; d'une singularité percutante, il était de Vincent. Passant inopinément par l'appartement de nos voisines franco-russes, j'eus plusieurs fois la surprise bien plaisante de le découvrir caché dans leur chambre, sous un lit !

Il avait un grand attachement pour Flo, et lors de ces passages semi-clandestins, allait la voir chaque fois que c'était possible, sûr de trouver en elle de la tendresse fraternelle sans ce brin de paternalisme qui fausse trop souvent les relations qu'on entretient avec ses aînés.

Avec l'intuition du cœur qui la singularise, Flo était aussi le seul membre de la famille que, étant donné son indépendance personnelle et sa différence politique, Vincent pouvait voir sans le dire à aucun d'entre nous tout en gardant un sentiment « interfamilial ».

Un temps, André fut reconnaissant à sa fille d'avoir su créer un rapport à la fois si fort et si libre, qui n'était pas né contre lui. Mais l'impasse algérienne semblait s'éterniser, et Flo se sentait maintenant très loin de son père. Elle allait également s'éloigner de *l'Express,* pour une tout autre raison.

Marguerite Duras, qui avait déjà signé les dialogues de *Hiroshima mon amour* était alors attelée à l'adaptation de *Moderato cantabile,* dont Peter Brook était décidé à faire un film.

Connaissant Florence l'un et l'autre, ils lui avaient demandé de travailler avec eux : elle serait l'assistante de réalisation de Brook pour son premier long métrage. Je la voyais déjà beaucoup moins car elle ne venait presque plus à Boulogne, à la suite d'un accrochage avec son père, né une fois de plus d'un détail inexpliqué entre eux ; elle avait sa vie à mener, c'est-à-dire mieux à faire qu'à me courir après. Bien souvent, il m'arrivait de me surprendre à vouloir la joindre : je commençais à voir le tableau de famille changer de palette pour s'assombrir — ce n'était qu'un début.

1960 commença par l'accident qui tua Camus, énorme d'absurdité.

Peu de temps après, au procès des barricades, on comprit que le général de Gaulle trouverait à la guerre d'Algérie une solution autre que celle de l'armée et de tous ceux qui la voulaient française ; mais entre le gouvernement et l'armée, entretenue au sommet et par plusieurs ministres, l'ambiguïté dominait, et personne n'y voyait très clair : à Janson, mon ami Pierre Gaillard se répandait en sarcasmes sur les brumeux desseins du grand Charles.

A Pâques, un nouveau voyage officiel entraîna les parents au Mexique. Renié par l'intelligentsia parisienne, André attachait plus d'importance à celle d'Amérique latine ; précisément, il tenait à parler à ses hôtes d'une politique étrangère gaulliste qui pourrait bien susciter leur étonnement admiratif le jour où notre dernière guerre coloniale aurait pris fin, une fois l'hypothèque levée. Je suivis Irène et Nina Finey jusqu'à Chamonix avec leur voisine de palier, Emmelyne Kaplan, professeur de piano chaleureuse et pleine de drôlerie, et bien que mon séjour fût largement gâché par un nombre incalculable de saignements de nez, je m'y amusai beaucoup.

A mon retour, les parents étant encore en voyage, prit place dans la chronique familiale un épisode bien pénible. Un soir d'avril, rentrant tard, Gauthier trouva close la porte qui faisait communiquer la partie de la maison qu'il habitait et notre entrée du second étage. N'ayant pas sa clé, voulant descendre dans la grande pièce, et se faire ouvrir le passage, il affronta ma grand-mère à travers la porte. Ils ne s'étaient jamais aimés ; à l'abri d'une cloison, ils échangèrent leurs rancœurs, tandis que je restais lâchement dans ma chambre pour ne pas m'en mêler : Gauthier fit sa valise et partit. A son retour, André nous étonna tous en avalisant l'attitude de ma grand-mère et en tenant rigueur à son fils de ne l'avoir pas attendu pour s'expliquer. Pour l'heure, le bilan n'était pas brillant : André était fâché avec Gauthier, ne voyait presque plus sa fille et Vincent restait à Strasbourg... de moins en moins.

A Paris, pendant un week-end, par l'entremise d'une ravissante personne, petite-fille de Nina Ricci, il avait fait la connaissance d'une jeune Chilienne dont le père était Français d'Argentine, Clara Saint. Après la mort de son père, Clara avait pu disposer d'argent — d'assez, en tout cas — pour vivre avec une fastueuse simplicité. Pour vivre librement aussi : comme n'importe quelle fille de son âge, aujourd'hui, sauf qu'il y a une quinzaine d'années, c'était beaucoup plus courageux.

Pour le dernier week-end de Pâques, j'étais allé les

rejoindre dans le petit appartement qu'elle avait loué à Saint-Tropez.

En me promenant tard sur le port avec Vincent (à qui c'était mon tour de faire la surprise en arrivant sans prévenir), en écoutant la moitié de la nuit des repiquages d'Arthur Schnabel interprétant des concertos de Mozart, en dînant dans des bistrots déserts avec eux, j'ai passé là les trois plus jolis jours de mon adolescence — et les plus libres.

La rencontre de Clara n'eut pas seulement de l'importance dans la vie de Vincent, elle en prit dans la mienne.

Sa façon de vivre, à côté de son sens du raffinement et d'un goût assez exceptionnel pour intéresser Yves Saint-Laurent, était singulière en 1960 ; elle a, depuis, fait école, par cet alliage d'affirmation impérieuse de ses préférences, de mépris pour le point de vue des puissances que l'on ne manque pas de croiser, chemin faisant — familles, corps constitués en tous genres, concierges et journalistes — et pour la morale du plus fort, et de désinvolture envers l'argent, présent ou absent, l'ensemble bardé d'un égoïsme costaud. Et sain.

Dans son appartement du Quai d'Orsay, au deuxième étage d'un immeuble qu'habitait Denise Bourdet, Clara vivait dans une somptueuse pagaille qui avait tout pour séduire Vincent : toiles de Fautrier, boiseries anciennes, pêle-mêle d'œufs multicolores, de pierres dures, d'exemplaires épars de *la Recherche du temps perdu*, des derniers enregistrements d'Elisabeth Schwarzkopf, que le nouveau maître de maison bousculait avec une impatience de jeune dieu grec. Il avait dix-sept ans.

Avoir cette approche frondeuse des réalités les plus quotidiennes, ce train de vie et cette sensibilité intelligemment épicurienne n'était sans doute pas ce qui pouvait le mieux le préparer à passer son bachot.

Ce qui me rapprocha encore de Vincent, ce fut son intérêt grandissant pour la musique.

Chaque fois qu'il venait à Paris, désormais, il avait à cœur de faire un marché des derniers disques classiques chez Jacqueline Dumarchat, qui s'occupait de ce rayon à « Lido-Musique » ; nous en ressortions chargés comme des dromadaires et nous précipitions chez Clara pour les découvrir.

Ensemble, ils formaient un couple contrasté : lui très grand et mince, elle, petite poupée délicieuse ; ils étaient jeunes et gourmands et c'était un bonheur de s'engouffrer avec eux à une heure tardive dans un restaurant où les convoquait une fringale irrépressible.

Clara loua quelque temps une maison de campagne au Petit-Quincy mais, peu faite pour la vie en plein air, se dépêcha frileusement de regagner la rive gauche.

En dehors de la librairie Gallimard, où j'ai toujours sévi, cette rive s'était longtemps limitée à trois adresses, pour moi.

Place Paul-Painlevé, Marie-France Latarjet, fille de Jacqueline et de Raymond, aujourd'hui membre de l'Académie des Sciences, était depuis mes cinq ans une adorable camarade de jeux, tendre et rieuse, dont les mots d'enfant enchantaient son père. Vers l'âge de raison, alors que nous nous considérions comme « fiancés », elle vint déplorer auprès de lui que, comme elle, je voulusse six enfants ; surpris par cette phrase, le grand scientifique demanda à l'enfant de sept ans où était l'obstacle : « Alors ça fera douze enfants... enfin : c'est fait », s'éloigna-t-elle en soupirant. Mais la tribu Latarjet avait émigré à Chatenay-Malabry.

Rive gauche, restaient Gégé Pardo, veuve du meilleur ami de mon père, et son fils Frédéric, qui se trouvait être à la fois le filleul de Sartre et de ma mère. Dans une maison ancienne de la rue de Bourgogne, Gégé, justement surnommée la Reine des prés par

Claude Roy, travaillait dur sur les dessins qu'elle destinait aux tissus imprimés de grandes maisons comme Bianchini, et chaque fin de semaine, repartait pour sa campagne de Berchères-sur-Vesgres puiser de nouvelles inspirations afin de tracer des arabesques inédites et broder d'autres variations sur des thèmes floraux ou agrestes avec une fraîcheur de tons qu'elle n'a jamais cessé de renouveler.

La troisième personne de ce rivage, jusqu'à l'idylle de Vincent et Clara, était Alice, déjà évoquée ici à plusieurs reprises. Alice.

Parler de quelqu'un qui par son âge aurait pu être ma grand-mère et fut ma plus proche amie n'est pas simple.

Lorsque je suis allé voir *Harold & Maud,* Alice nous avait déjà quittés. Ajoutons, pour dissiper toute équivoque, que je n'étais ni suicidaire, ni épris de ma vieille amie de façon bizarre. Tout le reste était étonnamment analogue, sauf qu'Alice était tellement plus intéressante que ce personnage de théâtre !

Les lecteurs de Maurice Sachs et de Violette Leduc en ont entendu parler par le premier dans *le Tableau des mœurs de ce temps* où il brosse l'éblouissant portrait d'une certaine Louise Pomone, qui est le sien, et par la seconde dans *la Bâtarde* où, l'on ne sait pourquoi, elle se nomme Bernadette.

Belle-sœur du grand pédiatre Weill-Hallé, mariée à un financier extravagant, Jean-Simon Cerf, elle avait très tôt senti ce qui la séparait de la Belle Epoque, celle de son enfance : le respect de la respectabilité érigé en sacerdoce et l'hypocrisie qu'il implique. Sensitive, menue, blonde aux yeux d'un bleu très pâle, vraiment pastel, il lui fallait s'échapper de son milieu, la grande bourgeoisie juive allemande qui, après notre défaite de 1870, avait opté pour la France, comme la famille de Clara Malraux. Jusqu'au mariage, elle se l'était dit :

« ma fille, pas d'excentricités ! » : on sait ce qu'elles coûtaient, chez les gens de bien. A partir de son union avec Simon, elle put faire ce qui lui passait par la tête. Ce qui voulait dire : lire au lit jusqu'à midi, ne voir que des amis pour le plaisir des choses de l'esprit ou pour celui de l'art, aller à Bayreuth, ou à New York, assister à des répétitions de concerts sous la direction de Toscanini, et tromper une mélancolie profonde par tous les moyens à sa portée : sourire et, si possible, rire, avec Tristan Bernard, Simone, Jean-Michel Frank, Odette Talazac. Elle n'avait pas seulement suscité l'intérêt de Léon Blum, Drieu La Rochelle ou Malraux par la qualité de son esprit ; la tendresse, le sens de l'amitié qu'elle avait au plus haut point lui avaient valu de leur part un attachement que rien ne vint démentir. L'esprit n'était pas tout : elle avait davantage encore de l'humour et mêlait toujours à la réflexion la plus approfondie une cocasserie poussée au loufoque qui venait de très loin et faisait mesurer tout à trac l'extraordinaire recul qu'elle commençait par avoir sur soi, avant de plaisanter des autres.

Ce tragi-comique, je crois ne l'avoir retrouvé sous cette forme que chez Clara Malraux, encore que chez Alice il eût moins de tragique et plus de feinte légèreté. Son absence réelle de sens moral était peut-être ce qui rendit possible sa survie à travers mille et une péripéties. Un an avant la guerre, Simon s'était attiré tellement d'ennuis que, cerné de procès, il avait perdu tout ce qu'il avait et s'était retrouvé en prison.

Toute autre qu'Alice en eût été terriblement humiliée : seule, dans une chambre de garni, elle éclata de rire. « Je ne pouvais le dire à personne, on m'aurait pris pour une poseuse : mais là, je me suis dit que j'allais découvrir du nouveau et m'amuser ! Au fond, ça ne m'ennuyait que pour lui. La pauvreté m'a débarrassée des emmerdeurs ! »

Elle garda tous ses amis, André en tête.

Après la sortie des *Conquérants,* qui l'avait laissée éberluée d'admiration, Roland-Manuel lui fit lire *la Voie royale* et rencontrer l'auteur. Alice eut un coup de foudre d'amitié pour lui, qui l'apprécia aussi très vite et le lui fit savoir.

Elle avait souhaité être un écrivain ; ses lettres étaient ravissantes, ses aphorismes spontanés ne l'étaient pas moins.

Elle n'était pourtant pas faite pour la littérature, du moins pour s'y consacrer. « Ne serait-ce pas plutôt une personne qu'un écrivain ? », écrivit Jean Paulhan à André, après avoir lu un manuscrit d'elle. Alice eut l'intuition de le saisir et de s'en tenir là, sage exception.

Parler d'elle, ce n'est pas seulement faire l'éloge de quelqu'un qui me manquera toujours, dans cette vie. C'est aussi tenter de dire ce que je lui dois de connaissance d'André. Son don d'amitié était tel qu'il lui permettait d'adopter un être une fois pour toutes sans se cacher ses failles, ses admirations n'étant jamais dupes d'elles-mêmes.

Vis-à-vis d'André, auquel elle voua un véritable culte et garda intacte son affection, elle n'en resta pas moins clairvoyante : sur le soin qu'il avait de sa gloire ; sur les intermittences de ses amitiés ; sur l'indifférence de fond qui régissait pour l'essentiel ses rapports avec autrui — elle comprise ; et sur l'égocentrisme formidable qui l'habitait, sans lequel il n'est pas de grand créateur. L'irrespect d'Alice était, lui aussi, plus rare encore de ne dissimuler aucune méchanceté, pas une ombre de vanité ou de mesquinerie : « Nous avons un peu ri ! », lui arriva-t-il de commenter avec alacrité lorsqu'elle sortait d'un déjeuner avec lui. Son irrévérence alla jusqu'à lui dédicacer les *Lettres de Maurice Sachs* qu'elle avait fort bien préfacées comme suit : « Pour André — moi aussi, je gribouille ! »

Comme Mauriac, mais sans ses griffes, elle avait détecté dans un ministre nommé Malraux le nouvel avatar de sa vocation d'aventurier et non son terminus, saisissant tout de go que ce n'était pas un reniement, mais un jeu de plus, une nouvelle forme de défi.

Ce qui, en dernière analyse, la rendait si attrayante et la faisait rechercher par les gens de vingt ans plus que par ses contemporains, c'était la singularité de son ton : goguenard mais profond, extra-lucide mais inaltérable dans ses prédilections et ses choix.

Ayant avec l'argent le rapport le plus libre que j'aie vu, son désintéressement vous laissait pantois.

Lorsqu'à la mort de Simon, elle reçut ce qu'il avait réussi à regagner, elle en donna une partie à la femme qui partageait sa vie depuis des années ; c'est pourquoi elle en manqua si durement, à la fin de sa vie, gâtée par une très mauvaise vue.

Salariée de la radio où elle travaillait avec sa sœur et Claude Roland-Manuel à des émissions sur la musique classique, elle fit connaître au public français la correspondance Clara Schumann-Johannes Brahms dans la traduction qu'elles signèrent ensemble.

Alice était un être assez attachant pour qu'un garçon de quinze ans vienne souvent la voir de Boulogne le soir après le dîner. Très liée à Corniglion-Molinier, Odette Poulain, Violette Leduc, aux Raymond Aron, les échos de Paris qui lui parvenaient ressortaient endiamantés par le tour d'esprit de ses commentaires, qui étaient émaillés de citations allant de ce père de l'Eglise selon lequel : « Tout ce qui finit est trop court » à Groucho Marx : « Parti d'un tout petit peu, je suis arrivé à : rien », en passant par Paul-Jean Toulet : « L'amour, c'est pas grand-chose... le reste, c'est rien du tout ! », elle avait au plus haut point la faculté d'éclairer une situation, un personnage, une généralité d'un coup de projecteur multicolore, le plus souvent sous la forme d'une pénétrante boutade destinée à en faire saillir le saugrenu caché. Elle y était bien secondée par la belle Jeanne Flamant, servante au grand cœur qui avait bien compris chez qui elle travaillait, et faite au tour pour lui donner la réplique : une Suzon.

Dans mes années d'adolescence, j'allais la voir comme on va consulter un sage ou, aux Etats-Unis, un « psy » : pour saisir ce qu'impliquait telle phrase de Proust ou Baudelaire, reparler d'un concert où nous étions allés ou lui demander ce qu'elle pensait de telle attitude d'André : mais avec l'humour et la tendresse en prime.

C'était pour moi plus précieux que je ne saurais le dire, l'écrirais-je mille fois.

Nizan prétendait qu'il ne laisserait personne dire que vingt ans est le plus bel âge. Mais qu'il est étroit, le passage, et raide, le sentier où s'engagent à l'aveuglette les gens de quinze ans !

C'est peut-être encore plus vrai pour les pauvres petits gosses de riches qu'aucune difficulté matérielle ne stimule pour s'arracher à la laideur, la crasse, l'humiliation, quand ils ont conscience que les gratifications dont ils sont l'objet dans leur famille sont autant de dérivatifs inutiles qui ne les préservent plus de vérités hideuses mais continuent à les empêcher de s'aguerrir ; en cette condition indéfinie où les adultes, qu'ils dérangent constamment dans leurs compromissions, ne savent que leur dire « à ton âge... » ou « à ton âge ! », l'expression étant à prendre tantôt dans le sens du rabaissement vers l'enfance, ou au contraire pour indiquer que, parvenus à cette étape, tout en n'ayant pas leurs droits, ils ont déjà tous leurs devoirs et devraient s'en souvenir.

Grande phrase qui, à la lettre, ne me concerne pas directement : jamais ma mère, jamais André ne nous abreuvèrent de ces platitudes ; mais à cet âge, l'entourage de tous vos camarades vous le bourdonne à chaque instant, et, aussi différent soit-on, par nature ou par condition, on n'a pas raison tout seul. Surtout d'être privilégié.

D'une façon ou d'une autre, caractères, circonstances, vicissitudes diverses s'étaient conjugués pour désunir les miens.

Cela ne me faisait pas plaisir, mais ne me coupait pas l'appétit de vivre. Vincent ne m'avait jamais paru aussi heureux, installé dans cette existence toute neuve de jeune homme sorti d'une nouvelle de Paul Morand avec les accessoires de Françoise Sagan mais beaucoup plus de goût : Strasbourg était si loin ! Désormais, son père le considérait comme assez affranchi pour se désintéresser de la question ; Gauthier, que je voyais rarement, puisqu'il avait aussi déserté Boulogne, semblait s'affirmer, loin de l'ombre paternelle, nos amis communs me le rapportaient : ne venait-il pas de rencontrer une galante comédienne, non dépourvue de talent ? Quant à Flo, je ne connaissais rien de sa vie personnelle, mais je croyais la savoir réussie. Loin. Les contradictions auxquelles le soumettait sa fonction altéraient insensiblement l'humeur d'André.

De Gaulle avait créé pour lui un ministère qui semblait fait sur mesure pour son titulaire : ce n'était qu'un trompe-l'œil.

On a beaucoup dit autour de l'Elysée que, malgré une gratitude aussi réelle que son admiration pour lui, de Gaulle ne le prenait pas au sérieux, en tant que ministre : étant donné que tout porte à le croire, et d'abord les 0,43 % du budget national alloués aux Affaires culturelles, on ne peut que le déplorer. Vainement : il est dans la nature des regrets d'être éternels. Mais son patron ne le prenant pas au sérieux à son poste, il ne *pouvait pas l'être !* Du moins pouvait-il nourrir l'illusion que, une fois l'affaire algérienne réglée, ses crédits augmenteraient de façon spectaculaire.

Poser la question de savoir s'il peut y avoir une grande politique culturelle avec cette aumône, c'est y répondre.

Ces réflexions pouvaient irriter André, alimenter sa rumination interne, elles ne l'entamaient pas encore en profondeur ; tout était trop neuf.

A l'horizon, malgré les égards qui, sous ses pieds, doublaient la longueur des tapis rouges déroulés pour l'officiel Malraux, rien ne permettait d'augurer des jours meilleurs : la guerre d'Algérie piétinait dans l'impasse, la gauche ne cessait pas de dénoncer la dégradation du régime pour mieux le stigmatiser, et la droite — la vraie dont parle Françoise Giroud, « celle qui ne descend jamais dans la rue » mais reste toujours prête à armer les assassins de Jaurès et de J.-F. Kennedy —, oui, celle-là se concertait pour aviser quant au moment favorable pour abattre le Vieux.

Par intermittence, ces nuages semblaient tout recouvrir ; à d'autres moments, l'insouciance reprenait ses droits. Ainsi, la première pièce de Françoise Sagan, *Château en Suède,* fit l'unanimité familiale, une fois n'étant pas coutume. Pendant qu'André parcourait les capitales des nouveaux Etats de la Communauté franco-africaine, j'allai perfectionner mon anglais à Cambridge, puis rejoindre les Finey à Venise et, enfin, terminer ces vacances à Lucerne ; j'y étais avant eux. Au rendez-vous rituel du Festpielhaus, après un concert de Rubinstein, Dietrich Fischer-Dieskau chanta en récital pour notre joie. En septembre, Gauthier entra en seconde année de Sciences Po, et Vincent se retrouva en première — inutile de rappeler les raisons qui le faisaient redoubler : lui, l'homme, moi, l'adolescent ambigu, nous allions passer le même bachot ! Sans blague.

Flo suivait l'équipe d'Alain Resnais en Allemagne où l'aventure de *l'Année dernière à Marienbad* s'annonçait passionnante comme l'exploration d'une île inconnue. Je reçus d'elle une lettre tendre et vraie quelques jours avant celui où parut à la une des journaux le Manifeste des 121, auquel elle avait apposé sa signature.

Ce fut un jour des plus sombres.

Dans la salle de bains de ma mère, lieu clair et animé de tropismes propices aux échanges spontanés, André regarda la feuille où s'étalaient les cent vingt autres noms qui, soudain, n'existaient plus. Après un silence bref mais incroyablement pesant, je me souviens qu'il releva la tête brusquement et, le regard perdu, laissa tomber d'une voix neutre : « Cette fois, je l'ai assez vue. »

Verdict : une de moins.

L'amertume des commentaires que pendant plus de sept ans lui inspira cette attitude (et parfois leur dureté) n'ont pas leur place dans ce livre ; mais je dois à la vérité d'un différend par définition public, dont j'ai personnellement souffert, d'ajouter ici une phrase encore et mon point de vue.

Certes, Flo lui avait adressé un mot quelque temps avant pour lui dire qu'elle avait signé ce manifeste. Mais son père avait pensé à autre chose et d'un coup, la nouvelle lui éclatait au visage.

Après un autre silence : « Quel livre a-t-elle écrit, quel tableau a-t-elle peint pour signer ce texte ? Quand nous aurons fait la paix en Algérie, ils auront bonne mine, ces grands révolutionnaires qui m'expliquent ce que je devrais faire au nom de ce que j'ai fait. Sartre a chaussé mes pantoufles... » Il se trouvait trahi parce qu'il l'estimait manipulée contre lui avec sa connivence.

Ma mère et moi gardions le silence, non par lâcheté, mais par consternation et parce que l'une des particularités d'André était que si l'on plaidait pour quelqu'un à qui il en voulait, il lui en voulait plus encore... Et nous savions qu'il avait la rancune bien ancrée.

Le pas venait d'être franchi. L'écart allait s'aggraver étant donné l'insondable bêtise qui marqua la réaction du gouvernement.

Huit ans plus tard, réconcilié avec sa fille, André lui confia que Debré ne l'avait pas épargné. De fait, ce fut le général de Gaulle qui évita à cette navrante affaire de sombrer dans l'odieux, le ridicule étant déjà largement dépassé : car Matignon avait voulu poursuivre tous les signataires, les priver de leur travail s'ils l'exerçaient à la radio ou à la télévision et faire « un exemple ». Le Général fut obligé de rappeler au plus bouillant de ses fidèles que, quand on est de Gaulle, on n'envoie pas Sartre en prison. Ce dernier le lui a-t-il pardonné ? On peut en douter, à voir le mal qu'il en a dit et la peine qu'il s'est donné pour y aller... sans aucun succès. Qu'à cela ne tienne : il est encore plus à gauche que tout à l'heure.

Mais qui serais-je pour m'ériger en justicier et distribuer des notes de conduite ? Il ne s'agit pour moi que de mettre à nu, si possible, le pourquoi ou plutôt le comment de cette brouille, si grave.

André n'avait pas tort d'appartenir à un gouvernement en train de poursuivre en sous-main l'effort de négocier avec le F.L.N. qui mènerait à l'indépendance algérienne ; mais la solidarité ministérielle impose toujours le silence, lequel prête souvent le flanc aux interprétations, qui ne le sait ?

Flo n'avait pas eu tort d'affirmer son respect pour des gens que leurs convictions menaient droit en taule, et il fallait du courage pour braver son père.

Le seul tort qu'ils eurent, et qui blessa leur vie, fut de ne pas s'en parler calmement. Mais c'était plus du fait de son père que du sien, car dans l'esprit d'André, à toute forme de contestation émanant de sa fille se juxtaposait le reliquat de son éternel contentieux avec sa première femme, qui n'était pour rien dans toute cette histoire. D'où ce raidissement, ce sentiment d'être menacé de l'intérieur.

Moins négatives avaient été ses retrouvailles avec Gauthier, après un froid de plusieurs mois qui l'avait rendu beaucoup plus indépendant de son père. Bonne chose.

L'amour venait aussi d'entrer dans sa vie avec la rencontre d'une fille charmante, à Sciences Po : Marie-Ange Le Besnerais. Jolie, grande, elle semblait née pour le rendre heureux et douée pour lui donner confiance en lui : il en fut métamorphosé. Depuis plus d'un an, il s'était tout à fait rapproché de Vincent.

Maintenant, les rôles que distribue l'état civil s'étaient presque inversés, et le cadet, c'était plutôt lui. Mais nul dépit vis-à-vis de son frère, de trois ans plus jeune, au contraire : une admiration enthousiaste. C'était bon à voir après tant de difficultés, tant de rivalités. Avoir osé défier leur père les avait rendus à leur fraternité.

A Boulogne, dans une maison devenue souvent silencieuse entre les obligations officielles des parents et le départ de mes frères, je n'en étais pas là. En classe, il n'y avait plus Serge Zolotoukhine, qui avait quitté Janson. S'y trouvait un garçon d'une qualité aussi rare, Jean-Charles Depaule, qui avait un an de moins de moi.

Il était d'une famille profondément chrétienne, de celles qui ne se paient pas de mots mais vous font croire que c'est possible : aimer, secourir, pardonner. Son amitié me fut précieuse.

Plus tard, il se mit à ressembler à Johannes Brahms jeune d'une façon étonnante. Il était aussi réservé que j'étais papillonnant, retenu que j'étais prolixe, bon élève que j'étais tire-au-flanc, ce qui nous lia. Jamais il ne disait de choses inutiles, mais son don d'écriture était certain et ne laissait pas notre professeur de lettres indifférent. C'était Philippe Van Tieghem, que ses élèves n'oublieront pas. D'un physique robuste et bien flamand, encore que cette origine lui fût déjà lointaine, c'était un éveilleur d'esprit.

Ce dont les lycéens comme Jean-Charles n'avaient nul besoin mais n'importe, dans sa classe, la causticité de Van Tieghem faisait merveille. Par la suite, il devint Philippe, car je me liai beaucoup avec lui ; il avait gardé les meilleurs rapports avec l'une de ses nombreuses ex-femmes, grand-mère de Frédéric et Clara Dutourd qui se trouvèrent successivement être mes condisciples.

Ayant choisi l'italien comme seconde langue et non le grec, je ne profitais de l'enseignement de Philippe qu'en lettres et en latin. Malgré des notes capricieuses, je me réintéressai à la littérature des auteurs au programme grâce au don de vie qu'il savait communiquer à ce genre, ingrat entre tous : l'explication de texte ; je ne savais toujours pas construire une dissertation mais son cours me rendait les classiques passionnants.

Il ne manquait pas non plus d'à-propos, notamment un samedi matin où, dans un climat particulièrement assoupi, il s'efforçait de nous parler de Diderot, mettant l'accent sur le pas en avant que son œuvre avait fait faire aux mœurs de son temps ; à la fin, découragé par tant de force d'inertie, il finit par apostropher les trente visages qu'il voyait bâiller à tour de rôle : « Eh bien, messieurs, je vois que le sexe ne vous intéresse déjà plus ! » Nous nous redressâmes. Aux interclasses, je pouvais converser avec Vincent, puisque vivant désormais à Paris, il était également lycéen à Janson : c'était aussi surprenant de l'y voir que ce le serait de rencontrer un adolescent à la récréation d'une maternelle. Clara, « Claramouche », venait de lui

5

acheter une petite voiture noire et blanche dans laquelle je le regardais partir à la sortie des classes sous l'œil ahuri de ses petits camarades. Il ne voyait plus guère son père, qui avait commenté sur un ton flegmatique sa liaison d'un : « Elle s'appelle Clara, elle est moins jeune que lui, elle est petite et elle a de l'argent... » L'allusion à celle de ses vingt ans n'y était pas formulée de main morte.

Vincent et Gauthier avaient donc repris un commerce tout à fait fraternel et partageaient désormais beaucoup d'heures, les mois qui passaient se chargeant de les mettre à égalité quant à ce qu'il est convenu d'appeler les choses de la vie.

L'aîné, je le revoyais enfin ; il me frappait chaque fois par le sourire qu'il arborait spontanément même lorsque Marie-Ange n'était pas avec lui. Mais je n'étais pas mêlé au cercle de ses amis, de son existence, enfin émancipée d'une tutelle prestigieuse qui ne concernait plus que moi. Tandis que je faisais partie de la vie de Vincent, j'allais écouter de la musique chez Clara, je les accompagnais au concert et l'on se téléphonait beaucoup entre INValides 42-97 et VAL d'or 30-20.

A leurs côtés, je découvris leurs amis, Alain Danis, P.-A. Boutang, Marie-Colette de Mirbeck ; et tant de choses : *Don Giovanni* à l'Opéra, Byron Janis dans son premier récital parisien, Geza Anda et le Camerata Musica dans deux des derniers concertos de Mozart — la passion de Vincent.

A ce dernier concert, je me montrai moins enthousiaste que lui, ce qui me valut un « Mais il ne comprend rien, mon petit frère ! ».

Je crois bien qu'il avait raison, car j'étais excessif et j'avais l'oreille trop encombrée de références abusives pour juger sereinement ce que j'entendais. Vincent aimait tant l'enregistrement qu'Edwin Fischer avait fait naguère du *Vingtième Concerto en ré mineur*,

K. 466, qu'il disait, en plaisantant, qu'il se sentait son fils spirituel. Autre façon de dire de qui il ne l'était pas, alors qu'il était tellement celui de son père à vingt ans, et aussi rimbaldien.

Avril 1961 nous donna un coup de sang avec le putsch du « Quarteron des généraux en retraite » auquel, toute une nuit, André convia les volontaires affluant place Beauvau à faire face : Gauthier en fut, Vincent, non. Le lendemain, les factieux — les vrais, cette fois — se dégonflèrent, une moitié pour ramper et l'autre pour s'esbigner en vue de constituer l'O.A.S.

L'année glissait vers « la période des examens », expression des plus plates qui émet une résonance lourde ou nulle selon qu'on les a devant soi ou loin derrière. Les nôtres nous pendaient au nez. Paisiblement préparé à mordre la poussière, je regardais l'échéance de juin se rapprocher sans trop m'émouvoir ; Gauthier, qui était le plus sérieux de nous trois, avait décidé que les siens ne seraient pas un obstacle ; Vincent, piqué à l'idée qu'il pourrait retripler cette année en échouant à nouveau, était résolu à faire le sacrifice de quelques semaines pour l'avoir, cet affreux bachot.

Justement, pour aller s'isoler, Clara venait d'acheter pour lui une autre voiture, Alfa-Romeo Giulietta bleue, grande avaleuse de kilomètres. Le fort de Mme Henry, à Port-Cros, leur était ouvert à deux battants s'ils en avaient la moindre envie. Où trouver une retraite mieux préservée que ce bout du monde ?

L'urgence des épreuves leur souffla qu'il fallait y aller pour ne rien faire d'autre que potasser les questions de cours, bachoter, apprendre par cœur, réciter sans fautes toutes les formules d'algèbre et de physique-chimie, savoir faire les singes sur commande.

— Tu viens avec nous ? me demanda Vincent.

— Comme je le raterai de toute façon !

Au point où j'en étais, ce n'était sans doute pas

la peine d'aller si loin. La veille de leur départ, les Vinogradov, qui représentaient l'U.R.S.S. à Paris, allaient emmener les parents à l'Opéra où se produirait la troupe de ballets du Kirov de Leningrad : ils verraient un jeune danseur très extraordinaire, à cette soirée officielle *.

Pendant que ma mère, déjà prête dans sa robe de dentelle noire, aidait André à ajuster son habit et à se harnacher dans sa salle de bains-parloir, Vincent fit une apparition, venant dire bonsoir-tout-le-monde, embrasser ma mère qui aimait bien Clara et le prouvait, et aussi demander à son père s'il était d'accord pour que Gauthier et lui aillent réviser leurs examens ensemble chez Marceline Henry. On a parfois de ces scrupules d'arrière-saison.

André le prit comme une chiquenaude — « comme s'ils ne pouvaient pas se passer de ma permission ! »

Continuant à s'apprêter, il haussa les épaules et répondit sans se distraire de ses préparatifs : « Mets-toi bien dans la tête que tu peux faire ce que tu veux, ça ne me concerne pas. » De verdict, point, puisque l'action entreprise n'avait rencontré qu'une *fin de non-recevoir*. Alors Vincent a embrassé ma mère. Et il est parti.

Les jours ont passé, une semaine, bientôt deux.

Un après-midi, Geneviève Picon (dont le mari Gaëtan était directeur des Arts & Lettres) et Claude Pompidou ont emmené ma mère voir la nouvelle collection de Chanel. C'était une belle journée.

Sur le chemin du retour, ma mère a dit à Geneviève, dans un blanc, ces mots : « Vous savez que les garçons sont dans le Midi pour travailler leurs examens — ils rentrent aujourd'hui... Je suis contente qu'Alain ne soit pas parti... »

C'est si important, les examens.

* Rudolf Noureev.

III

L'ACCIDENT

Ces mots-là, il fallait un jour les entendre.

SHAKESPEARE *in Macbeth.*

Et l'oubli pour hier et l'oubli pour demain ;
Et l'inutilité de tout calcul humain...

PÉGUY
(*Cinq Prières dans la Cathédrale.*)

Si j'avais été raisonnablc, pendant cette fin de semaine, j'aurais bachoté.

Au lieu, je me suis gorgé de musique.

Allongé sur mon lit, je remettais indéfiniment la première face du 25 cm *Columbia* que m'avait prêté mon professeur de piano sans jamais atteindre tout à fait l'épuisement de ce plaisir : de Mahler, les *Kindertotenlieder ;* portés par la voix incomparable de Kathleen Ferrier à laquelle répondait l'Orchestre Philarmonique de Vienne dirigé par Bruno Walter, ils revenaient vers moi inlassablement comme la mer. Chaque fois j'arrivais plus loin et pourtant, ce n'était jamais assez. En lisant la pochette, j'avais été frappé d'apprendre que cette musique n'avait pas suivi mais précédé la mort d'un enfant, comme d'une façon prémonitoire.

Quel rapport entre cette douleur sublimée par le chant et celle qui se présenta peu de temps après ? Directement, aucun. Mais là, quelle adéquation extraordinaire, aiguë, entre ce qu'on imagine abstraitement d'une telle douleur et cette musique. Ce doit être ce qu'on appelle une coïncidence.

Stravinsky soutient que la musique n'exprime qu'elle-même car il n'est pas à sa portée — à elle — d'exprimer un sentiment quel qu'il soit. Bien que je porte à son génie l'admiration la plus vive, je suis contraint de voir que ce n'est, au mieux, qu'à moitié vrai. Dans sa *Symphonie de Psaumes,* qu'il le veuille ou non, il ne cessa de communiquer le sentiment d'une foi absolue ; et la célébration de cette foi par la musique atteint en tant que telle n'importe quel auditeur, fût-il tranquillement athée : le caractère de musique sacrée que dégage cette œuvre frappe les moins avertis. S'il est vrai qu'on peut ne pas avoir la foi personnelle de l'auteur et la dissocier du plaisir purement musical que procure cette ample composition, majestueuse comme une grand-messe, il n'en reste pas moins que le sentiment éprouvé à l'écoute de cette musique est un sentiment religieux, à l'exclusion de tout autre. Les *Kindertotenlieder* de Mahler, eux, communiquent un sentiment déchirant et laissent l'auditeur étonnamment partagé entre l'immense tristesse qui s'est progressivement emparée de lui et l'émerveillement ressenti devant son accompagnatrice, cette beauté à peine croyable.

Le lundi, je retournai en classe où se passa une journée sans histoire, que suivit un mardi jumeau.

Après le dîner, le mardi soir, le téléphone sonna, juste après le retour des parents du restaurant italien « San Francisco », proche du pont Mirabeau. Au bout du fil, il y avait Albert Beuret, alors conseiller technique d'André aux Affaires culturelles, annonçant à ma mère qu'en revenant de leur séjour à Port-Cros, Gauthier et Vincent avaient eu un accident d'auto : ça ne semblait pas très sérieux mais l'un des deux était légèrement blessé, on n'avait pas su lui dire lequel.

Je continuai à réviser mon histoire-géo tout en repensant à cet accident, me demandant ce qui avait pu en être la cause — enfin, si ce n'était pas grave... Je travaillais mal, ça n'entrait pas dans ma tête, le relief du Massif central.

La petite lumière du voyant de mon téléphone se ralluma à plusieurs reprises à une heure où personne n'appelait plus, sauf pour moi — et ce n'était pas pour moi ; or jamais André ne prenait l'appareil et ma mère n'a pas mon vice de la parlotte nocturne : ça ne pouvait donc être que pour elle.

A un moment, elle entra dans ma chambre pour m'apprendre que l'un des deux était gravement blessé, toujours sans savoir lequel.

Il commençait à se faire tard lorsque j'ai entendu la porte du jardin s'ouvrir, non à nos propriétaires, mais à quelqu'un qui venait de sonner : qui était ce visiteur du soir ?

Le calme neutre, pénétrant, de cette nuit de printemps donnait du relief à la lenteur de ses pas, dont chacun faisait crisser lourdement les petits cailloux qu'ils dérangeaient. A cette heure-ci ?

Notre sonnette m'a mis debout et, pendant que d'autres pas se faisaient entendre, je me suis rapproché en hésitant de la porte qui, au second, accédait à l'escalier de la grande pièce, restée entrouverte ; je me suis arrêté sur le seuil, incapable de penser : quelqu'un montait vers moi précipitamment avec un son étrange, comme un halètement à bout de souffle. J'ai ouvert grand la porte, et avant de savoir, j'ai *su* : au moins l'un des deux.

Quand j'ai eu en face de moi, le visage de ma mère secoué de sanglots encore secs, j'ai demandé... Vincent ?

Mais bien qu'elle ait hoché la tête de haut en bas, je n'ai pas saisi ce que disait le geste que simultanément avançait sa main, traçant de l'index et du troisième le V de la victoire qui ce soir-là signifiait : les deux sont morts.

Tout de même le jour s'est levé.

En fin d'après-midi, le lendemain, Flo est arrivée d'Alsace où elle travaillait sur le tournage de *Jules et Jim*. « ... Est-ce que tu m'en veux d'être venue ? », a-t-elle demandé à son père. « ... Non. » Cela se passait dans ma chambre. Cette nuit-là, Flo a dormi à Boulogne, la seule fois.

Il y a eu ensuite l'adieu, les visites, le courrier, combien de jours, combien de semaines. Leur grand-père M. Clotis n'était plus là pour en souffrir. Du samedi matin où je suis retourné en classe me reste une image insolite : au moment où je pénétrais dans notre salle de cours, mes camarades allaient s'asseoir et Philippe Van Tieghem commencer l'heure de français.

A ma vue, ils sont restés debout, trente garçons pétrifiés comme des santons. Vite, j'ai couru à ma place. Il y a eu un cours, comme *avant*. Au sein de la classe, à côté de Jean-Charles Depaule, quelqu'un me jeta un regard différent, de secrète connivence : c'était Thierry Lévy, dont le frère aîné, Jean-Paul, qu'il adorait, s'était fait tuer quelques mois plus tôt dans un accident atroce.

Il y a eu l'arrivée de ma convocation pour le bachot et, le même jour, celle de Vincent. Il y a eu cet après-midi où, chez Clara Saint, j'ai dû vider la chambre de Vincent ; je n'avais pas encore éprouvé son absence physique et soudain, je la rencontrai en retrouvant ce qui n'était pas lui — chandails, bibelots, carte d'identité de sa mère, tous devenus autant d'accessoires : pour faire quel tri ? Il y a eu enfin toutes ces lettres courageusement anonymes ou signées de façon illisible dont les auteurs se réjouissaient de ce double accident. Incrédule, Jean-Charles Depaule m'en a vu ouvrir une devant lui, parmi combien ?

J'espère seulement que le filtrage du ministère a

été aussi sévère que le nôtre. Ces lettres venaient d'Algérie et d'Espagne (statistiquement). L'une d'elles disait : « Colonel Malraux de la guerre d'Espagne, je suis content que tes enfants pourrissent dans la terre. » J'ai retenu les termes.

L'été aussi est arrivé.

A l'annonce d'une maladie incurable, après le premier choc reçu, celui de la savoir sans merci, je suppose que quelque chose en soi doit se mobiliser (qu'il s'agisse d'autrui ou de soi), pour organiser une stratégie de l'espérance, alternativement défensive et contre-offensive — sait-on jamais ? Il reste du temps pour se préparer à affronter la suite.

En face de l'accident, le choc éprouvé vous soumet de façon absolue à la cassure nette de l'instant, qu'il prolonge indéfiniment. Il y avait : avant ; il n'y a plus eu que : depuis.

Composite, l'effet prend tour à tour la forme d'une hébétude paralysante, d'une sensation d'être percé d'une vrille en folie, ou encore, paradoxe aberrant, d'une sorte de fringale nauséabonde où vie et soif de mort s'emmêlent indistinctement.

Et le cauchemar renaît avec chaque réveil.

Quand vient le moment où, de nouveau, l'on ose se regarder les uns les autres, on se dépêche de détourner le regard : les survivants n'ont pas bonne mine.

En outre, la mort est aussi cette circonstance dans laquelle les bonnes intentions, rivalisant à l'envi, parviennent le mieux à enrichir le sottisier universel, pulvérisant chaque fois les records précédents. « Vous les remplacerez », m'assena une consolatrice aux sourcils en accent circonflexe que je serai assez chrétien pour ne pas nommer. En revanche, le courrier déposait parfois un message qui allait du cœur au cœur, témoin celui qui toucha le plus André — « Des millions de gens pensent à vous. Un de ceux-là. »

A la fin de l'été, je me résolus à rendre visite à Marceline Henry ; je savais que ce serait dur pour elle, mais je sentais qu'il le fallait. Elle m'accueillit avec une simplicité royale dans le fort qui surplombe l'anse de Port-Cros. C'est là que je fis la connaissance de Jean Paulhan, en même temps que celle de ses amis François Valéry et Armand Lancy, diplomate et peintre également liés d'affection à notre hôtesse. Je venais d'avoir dix-sept ans, et le tutoiement que m'offrit Paulhan me toucha autant qu'il me rendit un sentiment d'enfance que je croyais avoir perdu à la mort de mes frères. Paulhan se montra étonnamment chaleureux et d'une gentillesse constante, attentive, inattendue : il savait surprendre, don si rare.

On me l'avait décrit comme quelqu'un de perfide et de malveillant — pas André mais tant d'autres : il m'apprit à jouer à la pétanque et au jeu d'allumettes de *l'Année dernière à Marienbad* dont son regard aigu avait percé le ressort. Il avait découvert « Marienbad » lors d'une projection privée et la manipulation inédite du langage cinématographique qu'il y avait admirée me fit plaisir parce que je savais Flo mêlée de tout près au film de Resnais.

Avec un naturel qui me plut, il évoqua la vie d'André avant la guerre à la *N.R.F.*, ses allées et venues entre Clara Malraux et Josette Clotis, sa façon d'être depuis toujours magnétisé par le monde des arts plastiques et par les métamorphoses de leurs significations. Puis, il regagna Paris.

Un soir, assis face à face près d'une première flambée annonciatrice d'automne, Marceline et moi avons osé rompre le silence. Pour elle, c'était la première fois depuis cette aube de mai où la sonnerie stridente du téléphone l'avait réveillée pour lui apprendre la nouvelle. Femme de caractère, elle n'en était pas moins sensible, et la trempe qu'elle avait ne suffisait que de justesse à contenir toute sa peine : chaque été, elle avait vu grandir les garçons près de leur grand-père. Elle s'en voulait de leur avoir facilité ce séjour de travail à Port-Cros, tout en sachant que ça n'avait guère de sens. Je lui laisse la parole.

« Ils travaillaient beaucoup et je ne les voyais qu'au moment du dîner. La veille de leur départ, ils sont venus parler avec moi là où tu es, devant ce feu, et nous avons parlé de tout, pendant longtemps. J'avais connu leur mère ; elle était belle, grande, et très personnelle, avec des yeux tout à fait verts comme ceux de ma sœur : elle était exclusive et voulait André Malraux pour elle seule... Quand elle est venue ici, dans le Var, c'était vers 1941 ou 1942, elle était tourmentée par cette situation qui se prolongeait sans se résoudre. Elle n'était pas heureuse, à ce moment-là de sa vie... J'aimais beaucoup Clotis : c'était un homme propre et bon.

« Il gardait beaucoup de gratitude à ta mère pour la façon dont elle avait élevé ses petits-enfants, il me l'a dit : " Sans Madeleine, je ne sais pas comment ça se serait passé... Je ne lui en aurai jamais assez de reconnaissance... " Vincent aussi : la veille de ce départ, il m'a dit que si jamais il pouvait porter le nom de Malraux *, ce ne serait pas grâce à son père mais à ta mère. J'ai eu la visite de la fiancée de Gauthier, la petite Marie-Ange Le Besnerais, qui est venue avec sa mère : elle m'a beaucoup touchée. Je l'ai vue là, en larmes... Lui (Gauthier), il m'a dit ce dernier soir : " Dire que je me suis cru une enfance malheureuse ! " Ce qui porte à croire qu'il s'était rendu compte qu'elle n'avait pas été si malheureuse... La petite Marie-Ange

---

* Vincent était le seul d'entre nous quatre à ne pas s'appeler Malraux, étant né en 1943, époque où son père n'était pas encore divorcé de Clara Malraux ; mon père, déjà marié à ma mère, ne pouvait plus le reconnaître comme il l'avait fait pour Gauthier.

a encore reçu deux lettres de lui après sa mort, postées à Valence, dont une dans laquelle il citait son père : “ Retrouver l’homme partout où nous avons trouvé ce qui l’écrase. ” Le matin de leur départ, j’ai pris le bateau avec eux et je les ai laissés à la portière de la voiture...

« Par superstition, je ne leur ai pas souhaité un bon voyage...

« Clotis n’a pas vu cette tragédie, heureusement.

« Je me souviens qu’à sa mort, à Hyères, André Malraux a prononcé quelques mots... parfaits. Après l’enterrement et les cérémonies, j’avais voulu faire une course : il n’y avait pas un magasin ouvert... »

Dans cette salle ronde, un peu magique, l’amitié qui m’est venue pour Marceline Henry s’est gravée en moi, s’ajoutant à l’enchantement de son île. Toujours, je reviendrais à Port-Cros. A Boulogne, Micheline et Jean-Claude Renard, nos propriétaires, écrivirent une longue lettre aux parents, à qui ils demandaient de libérer les deux étages que nous habitions dans leur hôtel particulier, eux-mêmes vivant avec Mme Renard mère au rez-de-chaussée. La riposte d’André jaillit avec une brutalité inouïe : « Je n’ai pas d’appartement de fonction et tant que je serai ministre, je ne m’en irai pas de cette maison. S’il le faut, je la ferai réquisitionner par l’armée. » L’idée qu’il lui faudrait maintenant quitter la clarté de la grande pièce où il avait écrit les *Voix du silence* et la « Méta » lui semblait intolérable.

Dès lors, le voisinage devint difficile : on s’évita de part et d’autre par crainte d’envenimer encore plus une situation insoluble. Le 31 décembre, peu après minuit, nous traînions autour d’une bonne bouteille. André murmura : « Elle est finie » — elle, l’année 61. Il s’illusionnait : il n’y avait là que la différence d’un chiffre, tout le reste demeurait inchangé.

La maison nous inspirait des sentiments opposés. Pour lui, elle représentait le cadre de la résurrection d'après la guerre, d'années parmi les meilleures de sa vie, dont les plus douces sinon les plus fécondes. Il se tenait à cette certitude. Pour ma mère comme pour moi, elle ne serait plus jamais que ce lieu débordant d'une double absence, et plus rien que cela. Certes, avant l'accident, Gauthier et Vincent n'y habitaient plus mais leurs incursions y étaient fréquentes et attendues.

Maintenant, dans un décor identique, la pièce avait changé de genre, et chaque mot du nouveau texte rendait un son plus creux que l'autre : pourquoi dire ceci et non cela ?

Jeu stérile sauf à se meurtrir chaque fois un peu plus.

Comme il fallait s'y attendre de toute façon, je redoublai l'année du premier bac, mais à la maison, travaillant par correspondance. Car je m'étais senti désormais incapable d'affronter Janson après y avoir vu Vincent chaque matin.

Le 7 février 1962, en fin de matinée, je venais de refermer le couvercle du piano double de la grande pièce sur lequel je m'étais exercé avant de monter dans ma chambre.

Assis sur mon lit, j'ai composé un numéro de téléphone : sans réponse. Les parents étaient sortis et je me trouvais seul avec la cuisinière. J'ai relevé la tête et mon regard a eu le temps de photographier la cime des arbres encore nus et puis... une immense secousse a fait tout trembler, comme on imagine un séisme, avec un bruit de bombe. Sans émoi, j'ai pensé : plastic.

Depuis quelques semaines pendant cet hiver-là, les attentats par ce moyen fleurissaient impunément, à Paris. C'était un temps de honte où la magistrature et la police faisaient reculer les limites de la lâcheté, du moins aux trois couleurs ; ne suffirait-il pas qu'une balle frappât le général de Gaulle pour qu'un renversement de vapeur établît un régime musclé composé de ligueurs résolus à en découdre et à « en dérouiller quelques-uns » ?

Comme un automate, je me suis dirigé une fois de plus vers la porte qui donnait accès à l'escalier du grand salon. Sur ma droite, j'ai avisé l'autre porte qui ballait, celle qui donnait du côté de l'office et je n'ai pas eu le temps de réfléchir : un cri atroce, interminable, s'élevait de chez les Renard.

Avant d'apprendre que c'était leur petite fille, le cri m'a cloué là, le temps de me demander qui avait été tué.

Je suis descendu dans le salon où il n'y avait plus une vitre, soudain transformé en salon d'apparat de Saint-Pétersbourg aux lendemains de la révolution d'Octobre. A l'endroit où, l'instant d'avant, j'avais pianoté, toute la baie s'était pulvérisée en milliers d'éclats. Je n'ai pu qu'appeler police-secours. L'instant d'après, j'ai vu revenir l'employée, son tablier dégoulinant du sang de Delphine, et lorsque s'est éloigné le car, j'ai pensé que je ne reverrais pas cette petite fille si douce et charmante que j'avais découverte dans son berceau au chevet de sa mère, dans la clinique toute proche du Belvédère.

Il fallait aussi téléphoner à Rome où se trouvait Flo qui assistait Losey dans le tournage de *Eva,* pour qu'elle apprenne ce qui venait d'arriver de la maison et non par la presse, ce que j'ai réussi à faire.

Evoquant cet épisode dans *la Force des choses,* rappelant qu'il avait coûté presque totalement la vue à Delphine, Simone de Beauvoir offre un fleuron particulièrement significatif de sa mauvaise foi. Commentant le défilé, en effet d'une dignité impressionnante, qui avait suivi les cinq victimes de la police parisienne, laquelle avait réprimé avec une brutalité inouïe une manifestation populaire de protestation contre la passivité gouvernementale face à l'O.A.S., l'auteur des *Mandarins* se garde bien de mentionner le point de départ de cet attentat. Car il eût fallu préciser qu'il visait Malraux et non cette petite innocente. Or, le dire, c'eût été saper à la base l'édifice de son manichéisme maniaque et en annuler l'optique sur deux points essentiels : si la droite, en l'espèce, la pire, l'O.A.S., en voulait à la vie de Malraux autant qu'à celle de De Gaulle, c'est sans doute que l'un et l'autre représentaient autre chose que « la droite » qui, dans son livre, revient à chaque page.

Le reconnaître, c'eût encore été reconnaître que, bon gré mal gré, la coterie des *Temps modernes* et Malraux inspiraient la même haine à la droite de toujours. Simone de Beauvoir ne veut pas avoir quelque chose en commun avec lui, surtout cela : il fallait donc que cet apôtre de la vérité-à-tout-prix passât cette preuve tangible sous silence. Mais dès lors, qui s'en trouve disqualifié ?

Ce qui est vrai, c'est que jusqu'au référendum qui devrait sacrer l'indépendance algérienne, la justice resta d'une veulerie à vomir ; prompte à sanctionner les crimes des petites crapules s'il s'agissait de faire vibrer Margot dans sa loge, elle serrait péniblement les fesses en attendant que les grandes crapules accèdent au pouvoir. Que de Gaulle n'ait pas réagi avec la vigueur qu'on était en droit d'espérer de sa part ne prouve pas qu'il était lâche ou complice, mais seulement qu'il ne disposait, ayant contre lui également l'hostilité de toute la gauche, que d'une marge de manœuvres infime ; il lui fallait jouer sur le velours et gagner du temps pendant que, parallèlement, se négociait l'avenir des deux pays.

Cette fois, André n'avait plus le choix : non coupable de cette horreur qui venait de frapper une petite fille dans sa vue et d'hypothéquer la vie de ses parents en même temps que la sienne, il eût passé pour tel en restant odieusement dans leur maison contre leur volonté. Qu'ils sachent bien que si Flo, de Rome, a été la seule à leur écrire, c'est qu'il nous semblait que leur demander des nouvelles de Delphine, nous qui avions été l'occasion d'un tel malheur, aurait pu leur faire encore plus mal.

Nous cherchâmes des appartements. Plus beaux les uns que les autres, ils étaient inabordables. Claude et Georges Pompidou trouvèrent l'issue de secours. Devenant Premier ministre à partir d'avril, Georges avait droit, en entrant à Matignon, à la résidence secondaire de « La Lanterne », ravissante maison de la fin du XVIIIe siècle dont le parc communique directement avec celui du château de Versailles par une poterne.

Il la mit à notre disposition par amitié, et aussi parce qu'en plus de « la Maison blanche » d'Orvilliers, il rêvait aux causses du Lot, du côté de Cajarc. C'était on ne peut plus amical.

Ce geste parut providentiel, surtout à André, qui avait toujours remarqué cette maison et caressé le rêve de s'y réveiller comme dans un conte de Perrault : il ne le fut qu'en apparence. Car, en dépit de ce dérivatif inespéré, quitter le 19 bis, avenue Victor-Hugo lui fut un arrachement dont il ne se remit jamais tout à fait. Bien entendu, pas plus que de ce qui le concernait intimement, il n'en souffla mot. Mais à l'apparent détachement qui suivit la réaction si furieusement négative qu'il avait eue pendant huit mois, se déduisait clairement la profondeur de la blessure. C'est dans ce cadre fait pour le *Jeu de l'Amour et du Hasard* que sont tombées les dernières feuilles des marronniers de Boulogne. Elles étaient mortes depuis un an.

IV

LE CREPUSCULE DU DIEU

Cette vie est comme un hôpital où chaque malade est possédé du désir de changer de lit. Celui-ci voudrait souffrir en face du poêle, celui-là croit qu'il guérirait du côté de la fenêtre.

BAUDELAIRE.

De la vie à la vie, quel chemin !

O.V. de L. MILOSZ.

Ici commence la plongée vers les abysses.

Le plus difficile est devant moi car pour sonder les plus grandes profondeurs, je suis doté de quelque chose qui s'apparente au filet à crevettes.

Jusqu'à présent, j'ai convié mon lecteur à feuilleter un album de famille. Ensemble, nous avons voyagé, rencontré des enfants et des adolescents, vu des adultes avec leurs yeux et, chemin faisant, nous avons de loin ou de près entrevu quelques-uns des problèmes qui affectèrent la vie du clan Malraux.

Certes, je me suis risqué, çà et là, à tenter des percées dans la psychologie méconnue d'André Malraux : vis-à-vis de ses enfants, vis-à-vis du général de Gaulle. Mais je me suis surtout borné à établir une chronique événementielle en m'efforçant de n'être pas trop injuste envers les miens.

A partir de 1962, je me suis peu à peu mis à regarder André avec des yeux qui se détournaient de l'enfance : voici la suite de ce témoignage. Là, que peut-on attendre de moi ? LA vérité ?

Je ne la détiens pas. Si jamais il a possédé la sienne, elle se trouve là où il est. Je ne voudrais que dire la mienne à partir non seulement de ce que je sais mais aussi de ce que j'ai senti : autant que celle dont mes yeux gardent les clichés, celle, plus subtile, plus aléatoire, que j'ai devinée, dégagée moi-même à la lumière des faits et d'années de réflexions, de retours à ma propre sédimentation. Qui double la première.

Sachant les passions extrêmes que peut susciter le nom de Malraux, je demande à ceux de ses admirateurs qui m'ont accompagné jusqu'à présent et surtout à ceux qui ont aimé l'homme de patienter le temps de lire cette dernière partie avant de hurler au blasphème. Il est aisé de célébrer les louanges d'un être de cette envergure à coups de superlatifs.

Il est rentable d'en dire tout le mal possible (et même plus) comme le révèlent de temps à autre les publications hebdomadaires des ventes de livres : chacun son travail.

Ce qui est aussi incommode qu'ardu, c'est de livrer une analyse d'un caractère hors-catégorie en évitant complaisance et malveillance : voir clair et non bas.

Dans le cas de Malraux, l'étendue du sujet rend impossible de l'embrasser tout entier. Il faut se contenter d'aperçus ou d'instantanés de la sensibilité, d'autant que pendant le demi-siècle dont il a secoué les esprits et épousseté les habitudes, personne ne l'a suivi en continuité, pas même son ami d'enfance Louis Chevasson, qui ne fut ni en Espagne ni dans la Corrèze de l'Occupation — ni proche de lui dans sa retraite de Verrières.

Certes chacun peut parler de celui qu'il a connu.

Mais ceux des vivants qui ont partagé plusieurs années de sa vie se comptent sur les doigts d'une main : Clara, sa première femme ; Madeleine, ma mère ; Sophie de Vilmorin, sur le tard ; et moi. Encore faut-il préciser que ce furent à des périodes différentes, même pour ma mère et moi qui, après leur séparation, continuai à le voir plus de trois ans. Sans parler de notre ultime réconciliation, après sept ans de silence. Colette reprochait au gouvernement français de la Drôle de Guerre d'avoir confié à Jean Giraudoux une mission d'information officielle, critiquant chez lui cette façon de trop souvent procéder par élimination : « Curieux de nommer à ce poste un écrivain qui ne définit son objet que pour dire qu'il n'est ni ceci, ni cela, ni cette autre chose. »

Tenter de cerner et discerner de près André Malraux, c'est précisément opérer en sens inverse et dire : il était ainsi, il était aussi autrement, et il était encore tout différent ; mais de surcroît, il était également une infinité d'hommes, malgré l'invraisemblance du propos.

Ne sait-on pas que le propre de notre réalité profonde et permanente est de n'avoir qu'une infime ressemblance avec ce qu'en perçoivent les autres ? Shakespeare nous l'a donné à voir avec des personnages de chair longtemps avant ce qu'André nommait « littérature de laboratoire » et « la description du parapluie ».

C'est à plus forte raison vrai d'un être aussi multiple que lui. A son égard toujours me revient l'image-poncif de l'iceberg dont seul flotte un huitième, les sept autres restant immergés.

A moins d'un soulèvement géologique...

Je n'ai pas la naïveté de me croire objectif : depuis quand peut-on l'être avec son père ?

Néanmoins, j'ai celle de vouloir ne pas être malhonnête, en gardant à l'esprit qu'il me faudra plus d'une fois recourir au silence, certaines choses ne pouvant être exprimées ouvertement sur quelqu'un qui n'est plus là pour se défendre ou nous contredire en s'expliquant.

Puis, dans la mesure où il s'agit d'une personnalité qui ne se livrait presque jamais sans le détour de la transposition, de la sublimation sur un plan artistique ou métaphorique et pour ainsi dire jamais sans le recours au déplacement, au sens psychanalytique du terme, je serai souvent dans la perplexité, condamné à ce qu'on appelle des impasses, aux examens.

S'il m'arrivait d'être indécent, il ne m'arriverait pas de l'être au point de me croire pur.

Enfin, dans cet ordre-là, je me consolerais en comparant ce témoignage avec ce qui a déjà été publié. Villiers de l'Isle-Adam le disait déjà :

« Je m'estime peu quand je m'examine, beaucoup quand je me compare ! »

Nous avions déménagé à Versailles, au mois de juillet. Le lieu élu s'appelait « la Lanterne ».

Nous nous y sommes installés moins contents que soulagés, plus admiratifs que conquis.

D'une grâce étonnante, ce nouveau décor nous apparut comme, dans un repas marqué par des places vides, la présentation d'un « parfait glacé » à des convives rassasiés.

L'année précédente, Gauthier et Vincent s'étaient tués sur une route de Bourgogne, un soir de mai.

Huit mois plus tard, l'attentat fomenté par l'O.A.S. contre Malraux, qui l'avait manqué mais avait presque complètement aveuglé la petite fille de nos propriétaires, nous avait bannis d'une maison longtemps aimée, qui nous avait abrités dix-sept ans. Les quatorze mois qui venaient de s'écouler, nous avions la candeur de les croire derrière nous. En réalité, ils nous habitaient, et leur imprégnation, omniprésente en nous, modifiait l'éclairage que nous pouvions porter sur cette tranche de vie désormais cachetée sous le nom du havre évanoui : Boulogne, réalité devenue fleuve de fantasmes.

Le temps semblait venu pour chacun de dresser un bilan. Patiemment conquise au prix de renoncements que l'amour rend seul possibles, l'harmonie que ma mère avait su trouver et imprimer pendant près d'une décennie sur le tissu familial s'était subtilement faussée. Soudain, trois mots l'avaient reléguée au magasin des accessoires : « Ils sont morts. »

Nos frères, à Flo et à moi.

Quelle famille ? Quelle harmonie ?

Nous avions dû rêver, ma mère la première.

Son autre deuil, elle était seule à le porter puisque c'était de son plein gré qu'elle avait bien voulu renoncer à la seconde vie que détenaient ses mains pour élever Gauthier et Vincent du mieux qu'elle pouvait avec son fils.

Aussi parce que son illustre compagnon ne prisait guère son don éclatant de pianiste et de musicienne.

Que restait-il de cette oblation ? Le meuble le plus massif du salon, comme rescapé d'un monde disparu, dérangeant d'avoir perdu sa raison d'être. Partager l'existence d'un homme de génie qu'elle admirait plus encore qu'elle ne l'aimait — dans la mesure où aimer est un sentiment moins rare — se conjuguait pour elle au plus-que-parfait depuis qu'un emploi du temps officiel avait envahi leur couple de ses priorités dérisoires.

Obligations incessantes qui ne laissent pas deux minutes pour se recueillir ou retrouver l'autre, dîners des corps constitués, cocktails du monde diplomatique, inaugurations à toute heure, voilà un théâtre dont les protagonistes ignorent que seule en survit l'ombre portée sur ce qui, hier encore, rendait la vie aimable, et en évente la suite par anticipation : c'est une procession de faux-semblants qui appauvrit les sentiments les plus vrais, à force de les reléguer à l'arrière-plan.

Embarqué sur la nef de la geste gaullienne, André avait atteint un point de non-retour et, quelque envie qu'il pût en avoir, il lui eût été impossible de quitter le vaisseau à l'escale suivante sans qu'une telle attitude parût être soit un désaveu du Général et de sa politique, soit liée à l'accident de ses fils.

Aucune de ces deux hypothèses ne saurait être retenue. En premier lieu, parce qu'il gardait intacte son allégeance à de Gaulle. Tout autant parce que la mort de Gauthier et Vincent, il ne l'avait pas encore perçue, n'avait pas pesé tout son poids de vide : il savait, il ne ressentait pas.

Du moins pas encore.

Ce que nous ne pouvions prévoir, c'est que le choc ne viendrait qu'à retardement, le pire étant à venir, d'une douleur autre.

Oui : pire.

Pour l'heure, avec la frénésie qui s'emparait de lui chaque fois qu'il avait à chasser une image d'échec, après le départ contraint de Boulogne, la décoration de cette folie du XVIIIe siècle ne manqua pas de devenir son divertissement de chaque instant, de toutes nos fins de semaine.

Sa première femme l'a souligné dans *Nos vingt ans* : il ne renonçait à proprement parler jamais à un projet dans l'impasse mais lui en substituait aussitôt un autre afin de « jouer à autre chose » avec assez d'intensité pour bannir de son esprit ce qui avait précédé et pouvoir s'en détourner au point de se persuader lui-même que le nouveau jeu avait annulé celui d'avant, volatilisé « dans les ténèbres extérieures ». Le même mécanisme lui permettait de nier globalement l'existence de ceux ou de celles qui, d'une façon ou d'une autre, avaient dérangé en lui un élément d'importance.

Aussi exigeait-il de son entourage qu'il fît le silence sur eux. Il ne voulait pas entendre parler de Clara Malraux : il en alla de même vis-à-vis de sa fille, à partir du Manifeste des 121.

Répétons-le : ce n'eût pas été rendre service à Florence ou à quelque autre membre du club des exclus que de plaider en leur faveur : bien au contraire, sa rancune s'en serait encore renforcée. Rien ne sert de blâmer cette façon d'être, quelque tristesse qu'elle ait pu nous causer, à ma mère et à moi. Reconnaissons seulement qu'il réagissait de la sorte, puisque c'était vrai.

Toutefois, il n'est pas inutile de le préciser : vivre près d'un être aussi exceptionnel suscite un sentiment exceptionnel et façonne un comportement non moins singulier.

Tant qu'André voulait bien d'une présence, cela signifiait qu'il ne se sentait pas menacé. Car les Erinyes ne rôdaient jamais loin du « misérable petit tas de secrets » dont il était le détenteur aussi ombrageux que jaloux, alourdi d'un lot littéralement *incarcéré* dont on identifiait trop tard la présence en lui : quand ça faisait mal.

« L'amour, je ne saurai jamais ce que c'est que par mon imagination », a-t-il soufflé dans l'oreille d'Alice vers 1935, le mot étant bien entendu à prendre dans son acception la plus vaste.

Ce qui ne pouvait être qu'à moitié vrai : mais il faut connaître cet aveu d'infirmité affective pour saisir qu'au-delà de certains seuils de tolérance, impossibles à déceler hors d'un clair rapport conflictuel qui n'était pas le nôtre, plus rien ne pouvait exister entre lui et l'autre — pour un temps long et, parfois, définitif. Car dans cette perspective, une heure durait un siècle, étant une heure de rejet total, d'hostilité absolue.

Autre visage de ses contradictions : ce causeur incomparable, ce discoureur de haut vol qui pouvait épingler contempteurs et réfractaires d'un trait meurtrier était probablement l'être le plus marqué de vulnérabilité qu'il m'ait été donné de connaître ; celui qui ne l'a pas entendu demander *ex abrupto* à qui n'approuvait pas assez — à son gré — l'une de ses initiatives son « Vous faites des réserves ? » sur un ton ulcéré, ignore jusqu'où pouvait aller la sienne.

Aussi peu vraisemblable que cela paraisse, j'affirme qu'il était à la merci de vétilles anodines ; piqûres de mouches pour autrui, les aléas les plus véniels pouvaient au hasard d'une rencontre ou d'une lecture lui gâcher une journée. A cet égard, la fréquence de l'adjectif invulnérable dans ses propos les plus divers était bien significative. En outre, l'irritabilité d'André ne pouvait que s'accuser, systématiquement jalonnée par l'alcool, qu'il supportait mal. C'était le prix des antinomies flagrantes auxquelles le soumettait l'exercice de fonctions ministérielles plus honorifiques que concrètes. Avoir supporté tout ce qu'il a pris sur lui de supporter pendant onze ans tient du prodige. Triste prodige, celui qui l'a englué tant d'années sans qu'il pût disposer de plus d'une aumône pour donner vie à ses rêves, plus atterrant encore pour qui n'a fait que les entrevoir...

Plus d'une fois, exaspéré d'avoir toujours recours à l'arbitrage de Georges Pompidou, invariablement favorable à son endroit, pour que puissent être mises en application des mesures mineures auxquelles s'opposait l'indestructible rapacité des Finances, je l'ai vu à un fil de claquer la porte. Que ne l'a-t-il fait !

« Mais quittez ce gouvernement et remettez-vous à écrire », finissait souvent par lui dire ma mère, soucieuse de le rapprocher d'une porte de sortie, bientôt coupée par le douloureux « Jamais ! » qui venait clore une discussion en terrain miné, trop dangereuse pour être menée plus avant. En dernière analyse, ne se souvenait-il pas de la phrase du Général qu'il citait quand il s'agissait des autres : « Je n'ai jamais refusé une démission » ; eût-il refusé la sienne ? Sans doute pas très longtemps. Hypothèse intolérable pour lui. Or, sans pour autant rompre le lien profond qui le liait à de Gaulle, peut-être aurait-il pu joindre sa voix à celle de Mauriac pour le soutenir chaque fois qu'il le fallait, mais de l'extérieur ? Seulement, qui peut se mettre à sa place ? Aragon, qui sait, lorsqu'il parle du « mentir-vrai ». On imagine aisément que si ce frère ennemi n'a pas quitté son parti, ce n'est pas faute d'y avoir pensé ou par manque de sincérité : mais personne n'aurait voulu y croire — quoi, si tard, etc. Le poète du *Crève-cœur* l'a dit admirablement : « Je reste roi de mes douleurs. » Mais, pour lui comme pour Malraux, la question qui se pose n'en est pas moins : roi ou captif ? Cependant le ministère était un canevas tout prêt pour endiguer les incertitudes quotidiennes et, parallèlement, il lui épargnait l'appréhension du « pugilat » que lui avait finalement communiquée la page blanche, jusqu'à la nausée.

« Ils n'ont qu'une idée : ne rien faire », nous disait-il de ses propres services. Toutefois, la couche d'air qui le séparait d'eux était si épaisse que, d'une certaine façon, elle les protégeait de ses impatiences, ce qui n'était pas vrai de nous, lorsque à son retour du bureau, elles s'étaient muées en fureurs.

Son intérêt à décorer la Lanterne devenait une sorte de manie compensatoire, engouement auquel il supportait de plus en plus mal de voir ma mère ne le suivre que de loin : où est la saveur d'un jeu quel qu'il soit, si l'émerveillement est de commande en face du seul des deux qui joue vraiment, n'admettant l'autre qu'au prorata de l'admiration ? Lorsque toute réserve est une critique, que toute critique est assimilée à une offense, laquelle ne saurait être pardonnée, c'est tout l'élan vital qui est atteint : le sien l'était chaque jour un peu plus profondément.

Mécontent des autres et, ce qui est plus grave, de soi, aucun exutoire ne venait s'offrir à cette créativité en lui plus profonde que tout, celle qui lui a fait écrire que « l'artiste ne crée pas pour s'exprimer, il s'exprime pour créer ».

La portée qu'il attribuait à notre installation dans cette ravissante maison de Versailles, il était une fois de plus seul à la ressentir aussi intensément : elle était aussi une façon de se distraire de réflexions qu'il ne *voulait pas supporter.*

Combien de temps cela pourrait-il durer ?

Quand il lui arrivait de reprendre le rôle de héraut du Général qu'il avait tenu à l'époque du Rassemblement du peuple français, son goût du combat, son sens de l'anathème et des formules par lesquelles il saurait porter lui rendaient une vigueur, une jeunesse étonnantes. Ainsi, à la rentrée de 1962, lorsque ce fut l'heure de défendre le nouveau mode d'élection du président de la République par le suffrage universel, il mit toute sa véhémence à proclamer à l'adresse de ceux qui accusaient la nouvelle consultation d'être un viol de la Constitution que celle-ci était faite pour les Français, et non l'inverse. Qui, aujourd'hui, songerait encore à confier cette élection aux notables ? Après quoi, revenait chaque fois un mutisme plus lourd. L'anecdote venait souvent au secours des silences sous lesquels il fallait faire passer tant de choses : doué pour détecter le détail savoureux dans la situation la plus conventionnelle, André m'entraînait à ce sport et, aux repas que nous prenions désormais toujours en trio, c'est peut-être en ambassadeur des petits riens de la vie qu'il préférait me voir. Lorsqu'il lui arrivait de pouvoir laisser au vestiaire son personnage et le drapé qui l'entourait, il retrouvait au moment où l'on s'y attendait le moins une fraîcheur surprenante, le masque ministériel faisant place à un autre visage d'un charme rare, presque primesautier.

Quand M. Nikita Khrouchtchev et sa femme vinrent en visite officielle à Paris, comme tous les hôtes de l'Elysée, ils eurent droit à un acte de *Carmen* mis en scène brillamment par Raymond Rouleau dans les séduisants décors de Lila de Nobili. Dans la loge présidentielle, le Premier soviétique d'alors se tourna vers ma mère, à l'entr'acte ; ce soir-là, elle arborait une robe longue noire d'une élégance rigoureuse, très « duchesse d'Albe » goyesque — et endeuillée : « *Nou, vot Carmen* », s'écria-t-il en la désignant aux Vinogradov. Nina Khrouchtcheva, quant à elle, visitant Versailles et son parc un mardi, jour traditionnel de fermeture chez nous choisi pour des raisons de sécurité bien faciles à concevoir, et se trouvant en voiture avec son interprète et ma mère, ne voulut jamais croire que les ouvriers français étaient admis « comme les privilégiés » à l'intérieur des jardins et des appartements royaux. Comme ma mère lui affirmait avec toute la douceur dont elle est capable exactement le contraire, l'épouse de Nikita Serguéièvitch, à qui on ne la faisait pas, insista : « Vous voyez bien : il n'y a personne ! »

Catéchisée depuis l'enfance comme on peut l'être au pays du Goulag, elle avait bien retenu sa leçon, et pensait de bonne foi que, dans ce cadre, nous étions encore les sujets de Marie-Antoinette. Une autre fois, dans des circonstances analogues, ma mère lut sur le visage d'une épouse de chef d'Etat africain auquel André faisait découvrir les Gobelins ou les nouvelles salles du Louvre une expression d'épouvante, au moment où la malheureuse emmenée à Versailles embrassa du regard la longueur de la galerie des glaces : se rapprochant de la très officielle invitée, ma mère lui demanda dans un souffle de lui dire très simplement si quelque chose n'allait pas, ou bien de quoi elle pouvait souffrir ; à la torture, son interlocutrice avoua en baissant le ton, comme s'il se fût agi d'un crime sans nom, que l'un de ses souliers lui faisait endurer un martyre. « Pourquoi ne pas enlever nos souliers ? Personne ne nous verra », lui suggéra-t-elle ;

et jamais, me dit-elle plus tard, il ne lui fut donné de voir tant de gratitude éclairer deux yeux.

A l'automne, ayant enfin obtenu un premier bachot au sujet duquel André avait pris la peine de me téléphoner le résultat lui-même, je repris mes cours par correspondance pour faire ma philo. Mais, comme il ne pouvait être question pour aucun de nous trois de vivre complètement à Versailles pas plus que d'y rentrer simplement pour déjeuner, nous louâmes un appartement assez plaisant avenue Ingres, au sixième étage d'un immeuble récent d'où se découvrait la crête des somptueux arbres du Ranelagh. En soi, il n'avait pas de caractère, mais il serait possible de lui en donner, avec tant des objets qui avaient survécu à Boulogne. L'ameublement de ce pied-à-terre ne se fit pas sans douleurs : toute l'irritation que lui causait la non-inconditionnalité de ma mère quant à la décoration qu'il menait tambour battant à « la Lanterne » se transporta comme naturellement dans cet appartement ; sarcasmes, persiflage, moqueries blessantes se succédèrent, comme si sa femme avait voulu rivaliser avec lui sur un terrain où il se jugeait souverain. Ce qui n'était évidemment pas du tout le cas, mais comment l'expliquer à quelqu'un qui mettait toute sa puissance intellectuelle à refuser de le croire ? Ma mère écoutait sans rien dire ces mots injustes parce que les prises de bec lui inspiraient une véritable horreur.

Lorsque ma convocation au conseil de révision arriva, je grimaçai intérieurement, me demandant combien de mois ou d'années duraient les nouvelles obligations militaires ; je me rappelais que pour y échapper, André avait mis au point un heureux stratagème, quarante ans avant. Mais je ne le lui rappelai pas, devinant que je serais renié à la minute où il penserait que mes — très hypothétiques — incartades pourraient remémorer les siennes et mettre en danger sa respectabilité ministérielle ou plutôt sa « face », au sens le plus asiatique du terme. Déclaré bon-pour-le-service, la loi qui en exempte les fils de ceux qui sont dit morts pour la France en exempta le fils de Roland Malraux. « Et tu peux dire : merci, Papa ! » me dit plus tard mon amie Anne Vernon en levant les yeux au ciel.

J'eus peu après l'occasion de remercier André d'un des très beaux cadeaux qu'il me fit. Son idée d'envoyer *la Joconde* aux Etats-Unis pour rendre grâce au pays qui nous avait libérés de l'hitlérisme allait se matérialiser. La campagne du *Figaro* s'intensifiait de semaine en semaine, jusqu'au matin où André, que j'allais voir pour la fin d'un petit déjeuner dans sa chambre, me dit en regardant le journal où il venait de lire un nouvel article hostile au voyage de Mona Lisa : « Tu vois, quand je lis cet article, je SAIS que ce tableau partira, non seulement à cause des engagements pris, mais parce que je vois ces personnages indescriptibles s'agiter dans tous les sens, alors que tout ce que j'ai fait dans le sens de la sauvegarde du patrimoine les avait laissés parfaitement indifférents. »

André voulut bien qu'à l'écart des officiels, j'allasse avec ma mère et lui aux Etats-Unis : Gauthier avait été si heureux d'y faire un séjour dont il m'avait rapporté le *Deuxième concerto* de Rachmaninov par lui-même ; et je savais par Florence combien elle avait aimé New York. Ce fut mon tour d'être empoigné par « cette ville debout » dont parle Céline. Je n'avais jamais imaginé que cette mégalopole pût avoir une telle gamme d'atmosphères.

Mais le plus fascinant de mon voyage, le plus rare, aussi, se situa à Washington. Moins par la singulière séduction qu'exercent ses arbres et ses perspectives ou par les richesses qu'abritent ses musées que par la grâce d'une rencontre.

Lorsque Hervé Alphand et sa femme me demandèrent ce qu'ils pourraient faire pour m'être agréable, je ne demandai ni à être présenté au président J.F. Kennedy ni à voir des collections fermées au public ; je les suppliai, si c'était possible, de me faire connaître un illustre marginal, M. Alexis Saint-Léger, alias Saint-John Perse. Qui voulut bien accepter de me recevoir.

Rendez-vous fut pris pour le thé dans la petite maison où sa femme et lui demeuraient, située dans le délicieux quartier de Georgetown. A l'heure convenue, je sonnai à leur porte, gagné par le trac. On m'introduisit dans un salon grand comme celui d'un cottage où nous attendait du thé fumant ; je m'y heurtai à l'éclat presque minéral d'un regard sans pareil qui voyait *autre chose* — que sans lui, nul ne pourrait voir : qui a rencontré la densité en émanant ne saurait l'oublier.

Ce regard — il me dévisagea brièvement puisque sa courtoisie le lui imposait, le temps de nous asseoir et de me demander pourquoi c'était lui et personne d'autre que j'avais tant souhaité rencontrer —, je trouvai maladroitement la force d'y répondre en balbutiant que, malgré une connaissance très incomplète de son œuvre, je me rendais compte que la chance de connaître l'auteur d'*Anabase* ne se représenterait peut-être jamais et qu'il me fallait donc la saisir au moment où elle s'offrait, pensant que les poèmes survivent aux gouvernements. J'ajoutai que New York venait de me révéler une dimension et une intensité de vie inconnue en Europe et aussi que je commençais à saisir — enfin — pourquoi c'était sur ce continent qu'il avait préféré être un exilé. Là et non ailleurs. Ce détail parut le toucher et il esquissa un semblant de sourire, à l'instant où je disais qu'en tout cas, ce n'était pas « la France en moins bien ».

Apparemment convaincu par ma sincérité, il se lança avec une maîtrise stupéfiante, égale à son œuvre, dans un propos impossible à retracer, tant il était éblouissant : improvisation aussi différente qu'il est permis d'imaginer, de celles que j'avais vues chez André, mais au moins égale aux meilleures d'entre elles, d'où il ressortait en substance que l'Europe était aveugle au caractère essentiellement *provincialiste* de ses querelles et dissensions (je n'avais jamais entendu le mot et le retins nettement), que ce provincialisme l'empêchait à la fois de se faire et de prendre la mesure de ce temps, que l'Europe y engloutissait le meilleur de ses forces vives et que, de la sorte, elle ne manquerait pas de s'asphyxier... si la nouvelle génération ne prenait pas très rapidement conscience de ce rétrécissement toujours plus accusé, précisant que les gouvernants se montraient pires qu'aveugles lorsqu'ils se rendaient compte de ce qu'il fallait faire sans pouvoir s'empêcher eux-mêmes de prendre la direction opposée.

Il me parut avoir étonnamment raison — je dirais même qu'il *a* raison parce que cette phrase me paraît aujourd'hui plus aiguë encore qu'en cette lointaine fin d'après-midi. Sans qu'apparaisse clairement le moyen d'y faire face, maintenant que le général de Gaulle n'est plus là pour servir d'alibi à ceux qui, de son vivant, l'accusaient d'être l'obstacle à l'édification de la construction européenne — au fait, que font-ils, lorsqu'ils cessent de fixer le prix du beurre ?

Encadrée par la douceur harmonieuse que sa femme faisait irradier à travers sa maisonnette, l'évidence du génie de l'homme Saint-John Perse ne faisait pas l'ombre d'un doute.

Bien que je n'eusse absorbé que du thé, après deux heures ou presque de ce régime verbal, je me sentis gagné par une ivresse qu'accentuait fortement l'intuition que je ne le reverrais pas, sentiment dont le tranchant ne m'atteignait pas tout à fait parce que la nature de cette entrevue était tellement irréelle — ou plutôt : poétique.

Je ne crois pas avoir vu d'être humain accomplir plus parfaitement le langage : l'accord qui naissait de sa pensée et des moyens de vous l'exprimer était une manière d'accord parfait auquel la résonance de sa voix douce mais timbrée, mélange de puissance et de légèreté dans la précision de chaque vocable, parfumé d'une pointe d'accent des îles — il prononçait le R presque comme un L — conférait un surcroît de mystère.

Sa seconde poignée de main me révéla que j'avais reçu un incomparable présent sans rien pouvoir donner moi-même, présent indirect de celui dont je porte le nom, un de plus et de première grandeur.

Je me retrouvai sous les arbres enneigés de sa rue, titubant d'exaltation.

De retour à Paris, je dus reprendre le chemin du lycée en raison d'obscurs règlements administratifs relatifs au passage du second bachot. Ce serait à Janson-de-Sailly que j'achèverais ma philo, au sein d'une classe mixte. C'est-à-dire pour enfin me mettre au travail.

M'y attendait pour un peu plus d'un trimestre un professeur qui devint très vite un ami, Nicolas Grimaldi.

C'était un enseignant percutant, doué d'un verbe éloquent, capable de stimuler une classe aussi molle que la nôtre. Mais plus rare que la belle construction de son intelligence était l'étendue de sa sensibilité doublée de celle de Mady, sa jeune femme, toute clarté. Lorsque je suis sorti de chez eux, la première fois que nous avons dîné ensemble, je savais que je quittais des amis définitifs. Nous étions déjà fin février et Nicolas n'avait plus le temps de me faire travailler comme il l'eût souhaité, mais son ardeur à nous éveiller aux grands de sa discipline — les Grecs, Spinoza, Hegel — était communicative au point de me rendre confiance en mes possibilités de franchir l'obstacle de fin d'année. Au lycée, je me liai d'une amitié un peu amoureuse avec une grande et jolie fille pleine de vivacité et de drôlerie, Clara Dutourd : serions-nous voués à ce prénom ? Sa gaieté naturelle, le comique de ses reparties, enrichies de références à une culture littéraire exclusivement classique mais nourrie aux sources les plus sûres, allégeaient souvent le poids de tout l'arrière-plan que j'occultais jalousement aux yeux d'autrui.

Clara Dutourd écrivait de fort jolies lettres qui attendrissaient mes parents, en passant ; elle brillait à bon droit comme mon amie d'enfance Christine Schumann dans des soirées d'étudiants au cours desquelles il arrivait que mon état civil reprît ses droits.

Toutefois, malgré ma faconde et une aisance de façade, je restais timide s'il s'agissait d'aborder les filles pour de bon. Domaine qu'il eût été inimaginable d'évoquer avec André sans mille détours puisque sa pudeur, à cet égard, touchait à la pudibonderie — mais pourquoi l'aurais-je plongé dans l'embarras ?

Certes, ce n'eût pas été difficile ; personne, je le réaffirme, ne se figure l'extrême degré d'inhibition qui le marquait : car c'était d'une quasi-inaptitude à entendre les siens parler d'eux que souffrait cet être génial, paralysie presque aussi forte que celle qu'il éprouvait à parler de lui, et indissociable d'elle.

Soumis à la triple urgence de juguler les démons de ses gouffres intérieurs, d'essayer de limiter les dégâts que lui causaient tant de difficultés inavouées — puisqu'il les jugeait inavouables — et de continuer à travailler en-faisant-comme-si, quelle place lui restait-il à partager avec ses proches ? De moins en moins.

Il était mieux fait pour parler à une foule qu'à quelqu'un.

D'où l'impérieuse nécessité de ravaler nos propres questions. En vérité, qui aimerait s'entendre redire sur le ton poli mais sec d'un refus sans réplique, souligné du petit geste de la main qui dénie tout intérêt au mets proposé, un bref « Ce sont tes personnels problèmes » ? Les siens l'occupaient assez.

Mais les jours sont faits d'heures, et nul ne peut souffrir sans pauses, sauf à basculer dans ce qu'on appelle la folie.

Il pouvait arriver qu'un trait vînt percer le flou de mauvais nuages comme le soir où je lui dis que la femme de l'un de ses « collègues » passait pour être un peu folle : « Elle est beaucoup moins folle que moi ! » répliqua-t-il mis en verve. Phrase qui enchanta Alice, parce qu'elle s'y reconnut. Après qu'un oral de rattrapage m'eût permis d'obtenir mon bac de philo, je suivis les parents dans un palace de Bürgenstock, nid d'aigles de la Suisse alémanique familier aux octogénaires argentés que je rebaptisai très injustement Trou-sur-Lac. La vue en surplomb du lac des Quatre-Cantons qu'on y découvrait entre deux éclaircies était spectaculaire et il me fut même donné d'y assister à une tempête digne d'inspirer le premier acte de la *Walkyrie* (même si ce ne fut pas le cas). Wagner avait aimé composer à Tribschen et toute cette région offre au regard les paysages grandioses de ses *Niebelungen,* lieux accidentés dégageant une majesté tourmentée que seule vient déranger l'éclosion prosaïque d'indispensables parapluies. Je m'accommodai de cette luxueuse austérité en la peuplant des personnages de *la Rabouilleuse* et de *Un amour de Swann.* Allongé sur le lit de ma chambre ou déambulant sous la pluie à l'écart des promenades balisées, il m'arrivait de penser à ce qu'on nomme avenir, d'une façon pas déplaisante mais incolore, et comme désincarnée. Avec détachement, car cette chose informe devait le demeurer, ne me concernant pas : si j'avais eu un avenir, cela se serait su ! Mais alors je l'aurais volé à Gauthier et Vincent.

Un métier ? L'indifférence aux problèmes matériels que me procurait le train de vie de mes parents me dispensait d'avoir à y réfléchir. Quant à l'idée de faire une carrière, quelle qu'elle fût, elle me paraissait synonyme d'un ennui sans bornes.

Ainsi restais-je sans projets, douillettement lové dans une errance qui prenait la forme raffinée d'une flânerie à perpétuité. Ce n'était que le reflet de ce que je vivais entre André et ma mère. Il y avait de quoi rendre un jeune homme perplexe, à la maison. Le silence paternel s'y épaississait sans vagues, symétrique de celui qu'il suscitait à ses côtés : « Je vis avec une muette » me lança-t-il après le café, un dimanche dès que ma mère eut le dos tourné ; la présence d'esprit de lui suggérer d'en demander la raison à l'intéressée me fit défaut.

Quelques-uns de ceux qu'il aimait bien, comme les Pompidou, s'employaient à faire inviter les Malraux chez ceux des gens du monde qu'ils voyaient encore en dehors des obligations officielles, trop heureux d'afficher cette attraction à leurs dîners.

Claude et Georges Pompidou le faisaient toujours dans ce souci affectueux d'arracher mes parents à un désarroi qui, quoique ce fût en filigrane, semblait peu à peu s'aggraver.

Revenant de ces dîners, André semblait chaque fois être le lauréat involontaire de concours imprévus remportés comme par inadvertance, sans voir qu'il y était convié par l'effet d'une curiosité douteuse ; on l'invitait comme la femme à barbe, me dit Raffaella Catroux, atroce mais dans le vrai : André Malraux existait donc, puisque ces gens qui ne connaissaient pas deux lignes de lui avaient dîné à la même table... « J'ai planché », commentait-il, partagé entre un amusement au second degré et l'exaspération de mesurer l'inanité de ces soirées, dans un malaise moins intériorisé que celui de ma mère, le leur venant nourrir le mien ; n'ajoutait-il pas, d'un ton où l'ironie le disputait à la causticité la plus mordante : « ... à la droite de la maîtresse de maison ! » ?

Pensait-il aux jours noirs de jadis, aux mésaventures d'Indochine ? Je ne sais. Mais je devinais avec quelle violence il chassait l'intuition qui lui eût fait voir qu'ils se laissaient parfois manipuler par les Verdurin de l'heure, ma mère et lui.

Egoïstement, j'aimais les voir sortir : les savoir occupés par autre chose que la comparaison entre le présent et le temps de nos enfances mêlées autour d'eux me soulageait d'avoir vaille que vaille à les en distraire.

Un pressentiment naissait tout doucement au fond de moi : dans cette atmosphère tour à tour crépusculaire et hypertendue, se préparait inexorablement quelque chose de sinistre sans qu'il me fût possible d'en cerner la définition.

Comme dans un cauchemar où, de l'autre côté d'une porte sans verrou, une sorte de monstre informe attend, pas pressé, sûr de son affaire : tôt ou tard, mais de certitude, la porte s'ouvrirait sur l'innommable. Pour y faire face, je m'inventai une vocation fumeuse de dépanneur-en-tous-genres qui, dans l'absence de perspectives caractéristique de ma vie, sembla lui apporter ce qui lui faisait le plus cruellement défaut : une manière d'utilité, c'est-à-dire une justification d'être au monde. Traduit en termes de comportement, cela consistait essentiellement à faire acte de présence le plus souvent possible entre mes parents. Comme ma mère, j'aurais passionnément souhaité qu'André continuât à participer de près à l'œuvre entreprise à son initiative à partir de 1959 au ministère des Affaires culturelles. Tout au contraire, nous le voyions y devenir profondément indifférent. Les divergences qui opposaient souvent Jacques Jaujard et son ami et biographe Gaëtan Picon (alors directeur des Arts et Lettres) au sein de sa maison, il ne voulait pas en tenir compte, encore moins prendre parti, ayant pris celui de les ignorer : « Le plus simple est de s'en f... », avait-il conclu à leur intention, lorsque ma mère s'était faite l'interprète de Geneviève Picon venue la trouver dans l'angoisse à plusieurs reprises. Elle finit par se taire, consciente de ce qu'à l'inutilité de ses interventions succéderait un redoublement des irritations d'André à son égard, convaincu qu'il serait de la croire manipulée pour que d'autres à travers elle tentent d'exercer sur lui des influences occultes.

Au moment d'en parler chez soi, le plus simple était certainement de s'en moquer, à sa façon ; mais dans l'action à conduire à la tête d'un ministère divisé comme le sien, c'était moins sûr.

Tout se passait, à vivre aux côtés d'André, comme si ses rêves qui s'étaient effilochés les uns après les autres finissaient par s'évanouir pour faire place à un brouillard indéchiffrable.

Nous réussîmes à le faire assister aux deux spectacles pour lcsquels la volonté de Georges Auric rencontrait l'assentiment général en faisant appel aux concours les moins discutables : *Wozzeck* et la soirée Stravinsky avec les chorégraphies de Maurice Béjart : il y avait fallu les talents d'André Masson et de Pierre Boulez pour le premier, l'affectueuse insistance de Georges et Claude Pompidou pour l'autre.

Il se montra une fois ou deux au Domaine musical où, d'ordinaire, il préférait que sa femme le représentât, chaperonnée par son fils; nous y croisions Geneviève Picon, le merveilleux Boris de Schloezer et sa nièce, Marina Scriabine, et les familiers de Suzanne Tézenas, pour y découvrir des pièces parfois admirables. Et parfois d'un ennui étiré — n'importe : il fallait encourager ces tentatives activement, comme le faisaient les Picon, en acceptant la marge de déchets qui existe invariablement dans la moisson la plus riche.

La mort de Georges Braque frappa André en lui ôtant la présence subtile de celui que Jean Paulhan avait appelé le Patron : longtemps il avait été lié à Picasso, mais l'évolution politique des deux hommes les avait séparés.

Pour André, la frustration de cet éloignement resta extraordinairement vive, et je sentis toujours dans ses rapports d'amitié avec Braque, quelle que fût l'admiration qu'il portait à son œuvre, comme le substitut du lien qui avait existé entre Picasso et lui. Les comparant, il nous l'avait bien précisé : « La qualité picturale de Braque n'est pas en cause, elle est irréfutable ; la domination des moyens est magnifique mais il leur manque *l'étendue* des moyens de Picasso. Pour leur jeunesse, Braque tient le coup, en face de lui. Mais pour la suite... »

Ses relations avec Picasso avaient été passionnelles ; elles ne purent que le rester, la brouille venue.

Comme ils étaient aussi rancuniers l'un que l'autre, elle n'avait aucune raison de finir. A cet égard, *la Tête d'obsidienne* réussit, en étant un essai singulièrement incisif, à nous la faire également oublier, ce qui est un tour de force.

Redécouvrant sa fille après la Libération, André l'avait emmenée voir une exposition de Picasso qui s'y trouvait en personne ; celui-ci avait remarqué le fin visage de Flo et le lui avait dit. Aussi, très émue par l'attention du Génie, dit-elle ensuite à André qu'elle lui trouvait un regard extraordinaire ! « Tais-toi ! C'est un clown ! » lui répliqua-t-il rageusement en l'entraînant dehors sur-le-champ, les mâchoires crispées.

C'est que Picasso avait peu auparavant déclaré

qu'il était allé au Parti (communiste) comme on va à la fontaine, plus ou moins au moment où André venait de s'en éloigner sans retour.

La suite ne fit rien pour arranger les choses : André n'avait pu oublier qu'en lui offrant le manuscrit de *l'Espoir,* Picasso lui avait promis une toile qui n'était pas venue. Les tribulations qui eurent lieu autour de son portrait de Staline et les remous qui agitèrent la sphère communiste à cette occasion le mirent en joie, en particulier l'embarras des *Lettres Françaises* ; dix ans plus tard, il en souriait encore.

Bien qu'il ne manquât pas d'aller — aux heures creuses — à chacune de ses expositions et souvent d'en ressortir plus admiratif encore qu'il n'y était entré, les photos de Picasso prises en famille l'amenaient à se répandre en sarcasmes touchant au persiflage. La phrase de Picasso à Vallauris, parlant des assiettes qu'il avait peintes en ajoutant : « Et puis on peut manger dedans » lui faisait hausser les épaules, tandis qu'il imitait son accent espagnol, chaque fois qu'elle lui revenait en mémoire : elle lui apparaissait — du moins, alors — comme le parfait alliage d'une ânerie et d'une tendance démagogique. En outre, il ne s'était guère entendu avec celles des femmes qu'il lui avait connues : trouvant Dora Maar insupportable, il avait mal pardonné à Françoise Gilot d'être dans l'atelier des Grands-Augustins le jour où il lui avait rendu une visite lors d'une permission de l'hiver 1944-1945 ; à la fin, Picasso, avisant une toile plus petite, un peu à l'écart, lui avait demandé ce qu'il en pensait : « C'est vraiment celle que j'aime le moins » commenta André pour entendre son interlocuteur lui dire en désignant la jeune femme avec un sourire ironique : « Mais ce n'est pas de moi, c'est d'elle... »

Pour s'en faire aimer, il suffit à la dernière d'être veuve.

L'affaire de l'expulsion des Grands-Augustins, que l'appui des services ministériels d'André avait retardée le plus longtemps possible mais n'avait pu éviter, l'autre partie ayant le droit pour elle, avait beaucoup blessé Picasso.

Mais le comble fut atteint lorsqu'il s'agit d'organiser la rétrospective du Grand-Palais, en 1966. Quelques mois plus tôt, André avait fait un geste en lui faisant demander — ou en lui écrivant lui-même, je ne saurais le dire — ce qu'il souhaitait qu'on fît en particulier pour la mise au point de cette exposition, de caractère prestigieux ; démarche qui était restée sans réponse. André décida alors qu'il ne serait pas invité officiellement puisque son mépris des officiels était si grand.

« Croyez-vous que je sois mort ? » lui télégraphia Picasso, auquel il câbla par retour « Croyez-vous que je sois ministre ? »

Ils ne pouvaient guère aller plus loin dans l'inimitié.

La disparition de Braque, André entendit lui conférer une importance, une solennité d'exception, allant avec ma mère jusqu'au petit cimetière marin de Varengeville avant de prononcer une oraison funèbre qu'il devait retenir pour ses œuvres complètes, au même titre que son hommage à Jean Moulin.

Les bijoux de Braque avaient eux aussi été exposés avec un éclat très marqué. André en acquit deux pour lui et offrit à ma mère celui où l'auteur se montrait étrangement proche de Picasso : un profil de femme en diamants et saphirs sur fond d'or. Ce fut le dernier cadeau qu'il lui fit, mais outre que ma mère n'éprouva pas de coup de foudre pour cette broche elle ressentit trop vivement l'attitude qui soulignait ouvertement ce don pour être sensible à ce qu'il manifestait d'intention et d'élan généreux. « Vous détestez cette maison ! » lui reprochait-il parfois en ma présence : non, elle ne la détestait pas plus qu'elle ne l'adorait. Surtout, elle ne parvenait pas à le suivre dans l'ameublement et l'ornementation à caractère obsédant d'un cadre qui ne pouvait être que provisoire puisqu'il faudrait le quitter le jour où partirait le Général, dont le septennat se réduisait à deux années, désormais. Qui, d'ailleurs pouvait dire qu'il tenterait de le renouveler ? Pas plus André que les autres.

Je ne manquais plus de les rejoindre à chaque fin de semaine puisque, pendant les jours ouvrables, j'allais à la Sorbonne suivre les cours de Propédeutique où, hélas, nul Nicolas Grimaldi ne suscitait d'intérêt pour le programme de l'année. Parallèlement, l'architecture m'avait toujours séduit ; justement, Faugeron avait un atelier aux Beaux-Arts, et j'aimais autant qu'André le projet qu'il avait fait pour un bâtiment public, projet que les services des différents ministères concernés s'employaient à noyer dans un inextricable maquis de réglementations incompréhensibles : il ne put jamais aboutir. Dans la perspective de faire mes classes d'étudiant architecte, il y avait plusieurs points de suspension : mes dispositions en dessin étaient des plus moyennes, mes connaissances en maths et en géométrie inexistantes.

« Je ne te vois pas du tout architecte », m'avait dit André avec toute la force de dissuasion qu'il savait mettre dans un ton soudain si modéré : il ne se trompait pas, et j'eus tôt fait de m'en rendre compte, en laissant cela.

L'ennuyeux était qu'il ne me voyait pas non plus pianiste, chef d'orchestre ou « allant au bureau chaque matin ».

De toute façon, son mépris des études et des universitaires était tel que je ne pouvais faire mes preuves que dans un talent plus ou moins spontané, comme l'écriture — je n'y songeais pas. Le bouillon de culture que je retrouvais à Versailles ou aux repas pris en famille dans le nouvel appartement de passage m'épargnait d'avoir à trop réfléchir à ma vie, ce qui, à tout prendre, étant donné tout ce qu'elle n'était pas, pouvait être un moindre mal.

Entre-temps, les commentaires d'André nous avaient fait changer de pied-à-terre, celui de l'avenue Ingres lui étant devenu une source de répulsion. Avant d'en trouver un autre, un soir après un dîner froid que nous y avions pris silencieusement à la sauvette, nous nous engouffrâmes tous les trois dans l'ascenseur ; comme ma mère et moi avions les bras surchargés de paquets destinés à « la Lanterne » où nous étions sur le point de retourner, elle lui demanda de bien vouloir lui en prendre un : « Si le général de Gaulle porte les paquets, il n'est plus le général de Gaulle », lui répondit-il sans rire ; il avait raison : ce n'était pas drôle, c'était on ne peut plus sérieux... Mais quand cesserait-il de composer son personnage s'il éprouvait le besoin de le jouer à sa femme et à son fils dans un ascenseur entre le sixième et le rez-de-chaussée, à la manière d'un acteur dont la bourgeoise ne comprendrait pas qu'il est en répétition comme sur scène et qu'elle doit rester dans la coulisse pour respecter sa concentration sur un personnage engagé dans une passe difficile... En même temps, quelle fragilité que d'être à la merci de prendre un paquet trente secondes de la main de sa femme sans risquer de perdre une identité d'emprunt : son incarnation ministérielle. Il ne devait pas être assez sûr du rôle à tenir avec cette façon de nous dire : Chut ! Vous voyez bien que je joue et que c'est coton, ce soir...

Pour ce qui est du Général, j'ignore s'il a jamais aidé Tante Yvonne à porter quoi que ce soit (de matériel) et cela m'est égal, car je sais qu'il l'a entourée de son bras après la dernière pelletée de terre jetée sur la tombe de leur fille Anne, qui était infirme, et l'a emmenée avec lui en disant : « Venez, maintenant, elle est comme les autres... »

Pour ce qui est d'André, qui n'a jamais cessé d'être fasciné par de Gaulle, cela ne pouvait pas m'être égal. « Il n'y a pas de Charles » était une phrase clé de cette fascination. Comme il eût aimé qu'aucun prénom ne précédât Malraux ! Dès ses vingt ans, il était à la tâche.

Mais ce qu'il envierait toujours au Général se trahit dans la phrase des *Antimémoires*, la première qui lui vienne à l'esprit en sortant de *la* rencontre : « Il était égal à son mythe, mais par quoi ? » Sans doute parce qu'il avait eu la sagesse de se donner le tracé de son personnage, de s'y tenir, et de ne vouloir être que celui-là. D'où une unité de ton qui donnait son style à toute sa vie et se retrouve sans décalage dans la cadence du tribun — il n'est que de relire ses discours — et la prose du mémorialiste. Cette unité d'ensemble faite d'unité de détails qui rejoint celle du jardin à la française, ne pouvait que subjuguer André puisqu'elle était, malgré la multitude de ses dons, l'une des rares choses hors de sa portée : pour trouver son minimum d'oxygène, l'univers des arts plastiques du monde entier constituant son « musée imaginaire », ajouté à la somme de tous les écrits d'importance existant depuis l'aube des temps, suffisait à peine.

Mais à la différence de tant d'autres, que « tout homme rêve d'être Dieu », il ne s'est pas contenté de l'écrire à un bureau ; il l'a vécu fiévreusement avec un génie protéiforme et comme se vivent les passions : sans mesure et sans ménagement. Encore fallait-il en être capable ! Je ne l'admire pas moins d'avoir changé de cap en 1945, non que je sois certain qu'il avait raison — encore que je le croie, on l'aura compris — mais parce qu'il lui fallait infiniment plus de caractère, pour rompre avec tant de choses engagées dès longtemps et trancher tant de liens, qu'il n'en eût fallu pour rester le plus célèbre homme de gauche non-communiste de France et devenir cette institution-là.

Ce courage de remonter en ligne et de s'exposer à la vindicte des amis d'avant-guerre, de ses admirateurs de la veille et du troupeau de Panurge au moment même où il suffisait de gérer un capital de notoriété et de popularité qui l'avait porté au pinacle, j'en sais peu d'autres exemples et salue le sien très bas. Contrairement à ce qu'affirment ses adversaires d'après-guerre, il ne s'est pas renié : il a changé, ce n'est pas la même chose. Mais quel homme eût-il été, celui qui, ayant cessé d'*y croire,* n'aurait pas métamorphosé la résonance de cette consécration à la suite de la visite que reçut Louis Martin-Chauffier quelques semaines après son retour de déportation ? Louis me l'a dit très précisément : l'été 1945, les jambes encore flageolantes, à peine remis du *Grand voyage* * en Allemagne nazie, il avait vu Aragon et Malraux à vingt-quatre heures d'intervalle ; et le voile d'une croyance en la fraternité de la Résistance s'était déchiré en lui avec une douleur effrayante : ainsi, il n'avait survécu au camp de concentration que pour voir ça ? Oui. Aragon lui avait dit que « Malraux (avait) désormais rejoint nos ennemis » ; Malraux lui avait dit que le Parti ne pensait qu'à « recommencer toutes les erreurs d'autrefois » et qu'il n'avait « plus rien à faire avec les communistes ».

Ce qui indique combien les deux grands écrivains étaient bien informés l'un de l'autre : ils gardèrent une considération professionnelle mais à cet effet, il leur fallut s'éviter trente ans de suite, à l'exception de l'entretien qu'ils eurent en 1966 chez Claude Gallimard — en terrain neutre — à la demande d'Aragon qui souhai-

---

* Le beau livre de Jorge Semprun sur l'univers concentrationnaire. *N.R.F.,*. 1963.

tait que de jeunes peintres russes puissent être introduits en France par la grande porte. « Merci pour le plafond » (de Chagall), lui dit-il en quittant Malraux, qui répliqua par un « Merci pour le poème » (sur le plafond), vite suivi d'une question à Claude : « Qu'avez-vous pensé de notre théâtre ? » La présence d'Elsa Triolet à côté de lui au cinquantenaire des Goncourt, au pire moment de la guerre froide, avait beaucoup distrait André, le temps d'un excellent déjeuner et celui d'une trêve, aussi. Pas complètement toutefois puisque la compagne d'Aragon, prenant la parole pour prononcer un toast, évoqua ce qui, par-delà les nuances d'opinions, les réunissait tous, ajoutant... « Quoique beaucoup de choses nous séparent, Malraux et moi », ce qui lui valut instantanément de celui-ci une réplique entre ses dents, juste assez fort pour que sa voisine de table l'entende : « Oui : le talent, par exemple ! » Un prêté pour un rendu. Comme quoi il n'était pas moins doué pour le dialogue que pour le monologue. On rêve à ce que Proust, s'il avait vécu jusque-là, aurait pu relater de cette manifestation dont il eût été l'invité d'honneur...

Au 3, avenue Ingres, on fit les malles pour le 8, avenue Montaigne, exactement en face du Théâtre des Champs-Elysées, au dernier sommet d'un immeuble neuf, au très faux chic.

Mais la vue — une de plus — y enfonçait encore celle que nous avions de biais sur le Ranelagh : moins verte, elle offrait à l'amateur de perspective une belle illusion d'optique que permettait la hauteur du neuvième étage, en semblant faire du Sacré-Cœur comme une miniature blanche juchée en haut d'une colline d'où l'avenue Montaigne fût directement issue, et, de l'autre côté, en lui proposant la courbe de la Seine qui mène à Chaillot et, au-delà, à la tour centrale de la Maison de la Radio. L'exposition sud donnait sur la coupole des Invalides, et toute la rive gauche. André avait voulu chasser l'avenue Ingres de ses yeux, et avait paru acquiescer à la trouvaille maternelle.

Son objectif avoué était de refaire à sa manière l'équivalent du pied-à-terre qu'avaient le président Kennedy et sa femme lorsqu'ils se déplaçaient à New York, tout en haut de l'hôtel Carlyle, au-dessus de l'appartement qui abritait la superbe collection de tableaux de nos amis Bella et André Meyer. Personnellement, en dehors de la vue du trente-quatrième étage sur tout New York, j'avais été moins ébloui par cet appartement que lui, et ma mère aussi ; sans doute avais-je été mal influencé par le choix que j'avais vu dans la discothèque présidentielle. Tant pis. Restait à arranger notre nouveau logis, à le meubler à son goût — à lui, exclusivement.

Après une sortie particulièrement explosive, qu'un soupçon d'hésitation sur son choix d'une couleur avait valu à ma mère, elle se désintéressa d'un jeu dans lequel le partenaire ne pouvait que feindre l'éblouissement systématique ou claquer la porte. L'appartement s'habilla des couleurs violines de Boulogne et accueillit les Dubuffet de la première époque, *Paysage vineux* et *Jazz,* ainsi qu'un grand *Bouquet* de Fautrier de 1928 : deux peintres qu'André avait admirés tout jeune mais qu'il ne voulait plus voir, pour une raison ou pour une autre. Quelques semaines plus tard, comme tout le monde, l'assassinat de J.F. Kennedy nous stupéfia d'horreur. Mes parents furent très frappés, ayant sympathisé au sens fort du terme avec cet homme intelligent et sans bassesse dont la jeunesse avait éveillé tant d'espoirs.

Nous étions maintenant en 1964. Pour Pâques, nous changeâmes de lac, préférant celui de Côme au lac des Quatre-Cantons. Nous nous retrouvâmes à la « Villa d'Este » de Cernobbio. Autre palace, même emploi. On y était directement au bord de l'eau et quelques excursions à Lugano et à Cône entrecoupèrent notre séjour d'instantanés de cartes postales. Nous essayions de nous distraire mais obtenions un résultat piteux, laissant un arrière-goût de défaite : décidément, ce n'était pas notre fort. Ce qui faisait le plus peur, dans ce climat perpétuellement sous pression, où l'air venait à manquer comme lorsqu'un orage semble sur le point d'éclater et n'éclate pas, c'était que pour l'essentiel, la nature du fluide qui raréfiait notre oxygène échappait à chacun de nous.

Un silence s'était insidieusement infiltré entre mes parents, qui ne cessait de faire des progrès : comme si toute explication ne pût risquer que d'être pire.

A plusieurs reprises, nous fûmes conviés par des inconnus qui descendaient aussi à la « Villa » et lançaient leur invitation au culot, oisifs attirés par une gloire mondiale ou grands industriels italiens que la retenue n'étouffait pas : Alice Jean-Alley ne disait-elle pas qu' « il y a du monde pour tout le monde » ? Voire. A propos d'un milliardaire milanais, comme nous sortions de sa table, André nous avisa que pour lui, « l'homme qui a le génie de l'argent n'en a pour rien d'autre » ; ce monde-là n'était certes pas le nôtre, mais que n'aurions-nous pas tenté pour échapper à un malaise toujours grandissant au sujet duquel aucun mot plus précis ne se trouvait dans le dictionnaire ? Nous revînmes à Versailles un peu plus embarrassés de nous-mêmes, un peu plus lourds d'arrière-pensées.

Je passai les trois épreuves de Propédeutique à un cheveu près et, pour mes vingt ans, conviai quelques amis, un soir de juin. Nous bénéficiions d'une des journées les plus longues de l'année et le bouquet de jeunes filles « en fleur » qui, au couchant, s'éparpilla à travers les arbustes des deux jardins de la Lanterne — l'un à la Française, l'autre à l'Anglaise — fut un vrai cadeau d'anniversaire. Filtrant à travers la fente de ses rideaux, j'aperçus le regard d'André qui avait dit oui à tout ce que ma mère proposait d'organiser pour moi mais à condition de rester cloîtré dans ses appartements ; et me posai la question : qu'est-ce qui me valait ce consentement le dos tourné à la fête ? De songer qu'il n'aurait plus jamais vingt ans ? Ou plutôt de penser que Gauthier et Vincent ne seraient plus d'aucune fête ? Mais à supposer que cette réflexion lui traversât l'esprit, je savais par l'expérience vécue qu'ils n'eussent même *pas pu concevoir* de se divertir à proximité de leur père. Et réciproquement... Seule mon inconscience m'avait laissé imaginer que c'était à ma portée. D'ailleurs, je n'avais qu'à être plus cohérent avec moi-même : comment s'amuser de bon cœur chez soi avec ses amis si l'on ne peut pas y inviter sa sœur en même temps qu'eux ?

La présence d'une certaine jeune fille belle et piquante parvint à me faire penser à autre chose, furtivement.

Pourtant, lorsque je raccompagnai mes derniers invités, je me demandai, malgré l'apparence d'une jolie réussite, ce qui avait manqué à cette soirée. Et trouvai : l'insouciance.

Pour gambader à fond, et se donner un plaisir sans mélange, il ne faut pas savoir qu'on gambade. Oh, après tout, j'avais des compensations et pas envie de me plaindre.

Trois semaines plus tard, ma petite sœur adoptive, Christine Schumann, m'annonça que nous étions pressentis pour aller avec un groupe sympathique passer quelques temps dans une île grecque, Spetsaï. De la Grèce, où je n'étais encore jamais allé, je ne connaissais que quelques clichés et le discours paternel sur l'Acropole : je me sentis lâchement soulagé de quitter la Lanterne pendant une quinzaine de jours.

A l'aéroport du Bourget, un miraculeux hasard me fit prendre, avec Christine, le même charter que Florence. Durant tout le vol, nous parlâmes sans discontinuer ; à Athènes nous nous sommes quittés. Elle repartait pour une autre île. Le hasard fut aussi surprenant huit jours plus tard, lorsque la même représentation des *Suppliantes* d'Eschyle, qui nous avait attirés au théâtre d'Epidaure, nous réunit une seconde fois. Je fus comblé par un pèlerinage rituel à Mycènes, Delphes et aux environs d'Athènes, et de ce pays, je retins un émerveillement aussi intense que celui de mes dix ans en Italie, si différent qu'il fût. Mais pour le compléter, il y eût fallu la magie paternelle. Je n'en fus conscient qu'après mon séjour, lorsque nous repartîmes en trio bâiller sur les rives de Cernobbio, comme à Pâques. Malgré son injonction de ne plus parler de Flo, je racontai à André la double coïncidence de nos rencontres en Grèce, lui apprenant qu'elle était devenue blonde ; il me demanda si ça lui allait, et j'opinai. Dès notre retour d'Italie, je courus à Saint-Lazare et les Schumann vinrent me chercher en délégation à la petite gare d'Houlgate, où ils prenaient leurs quartiers d'été : quel bain d'humanité me procurait cet affectueux quintette ! De Méribel enneigée aux vagues voisines de Bolbec, ils me rouvraient toujours leur porte avec la même spontanéité chaleureuse.

Deauville ne me rappelait pas grand-chose et je découvris sa piquante laideur avec l'écho de Tristan Bernard répercuté par Alice : « J'adore Deauville, c'est si près de Paris et si loin de la mer... » — laquelle se trouvait à Trouville avec sa sœur par pur dévouement fraternel, car elle ne manquait pas de dire à ses amis combien elle répugnait à découcher.

La frivolité est un état sérieux, Proust l'a dit et il a approfondi cette vérité comme personne : je le vérifiai en détail en découvrant l'univers du *Royal* et son hall où, comme partout, déambulaient quelques égarés qui me permettaient de m'y sentir moins seul. D'ailleurs, nos amis André et Nada Rodocanachi, même s'ils jouaient à cela franc jeu, n'en étaient pas dupes pour autant : c'est pourquoi, en septembre, ce fut bien volontiers que je suivis notre clan dans la foule de leur trois enfants, de peu mes aînés, au-dessus de Vaison-la-Romaine.

C'était un décor que je ne connaissais pas, cette partie de Haute-Provence où je me plus tout de suite. Etait-ce parce que je venais de découvrir la Grèce et que nos hôtes revendiquaient un atavisme hellénique très présent ? Je pensai que des affinités particulières me faisaient rechercher des amitiés d'origine grecque. Marilia Averoff et ses parents, plus tard, Kostas Axelos me confirmèrent dans ce sentiment.

A Vaison comme en Normandie, je redécouvrais avec une surprise amusée qu'il y avait des gens de vingt ans qui prenaient la vie très bien. Certes, ma mère me téléphonait tous les jours de Versailles et me laissait entendre à mots couverts que si ce n'était pas très souriant quand j'y étais, ça l'était encore beaucoup moins en mon absence.

Mais la faconde étourdissante de Clara Dutourd, pétillante de malice et gourmande de mots, la joie de vivre d'Hélène Rodo, dans l'éclat de sa beauté, l'intensité que mettait sa mère dans toutes choses me lavaient la tête pour huit jours.

A la rentrée, il fallut « faire quelque chose », concession à la société à laquelle sacrifiaient les miens depuis mon enfance.

Je voulus tenter ma chance, en m'inscrivant en première année de licence libre, pour les certificats d'Histoire de l'Art moderne et d'Esthétique, que l'on devait préparer à l'Institut d'Art et d'Archéologie, rue Michelet.

Entre mes parents à « la Lanterne », je ne trouvai guère de raisons de me réjouir.

Car ce que nous retrouvions immanquablement dans le comportement d'André, ma mère et moi, et dont nous ne parlions qu'entre nous, c'était la constance d'une souffrance profonde, jamais définie, et qui s'exprimait indirectement dans tous les domaines en dépit de ses efforts pour la dissimuler.

Etait-ce une forme de dépression ? Oui et non : il n'en continuait pas moins à lire intensément, à suivre attentivement les expositions qui se faisaient sous sa houlette, à honorer les très nombreuses obligations auxquelles le soumettait sa fonction. La première chose qui venait à l'esprit, à vouloir réfléchir à ce qui paraissait le ronger jour après jour, c'était qu'il s'agissait d'un contrecoup à la mort de ses fils. Mais qu'en était-il réellement, puisqu'il ne voulait en aucun cas en parler et que lui poser une question à ce sujet eût été d'une impensable, d'une cruelle indélicatesse ? L'énigme restait entière. Lorsqu'il y avait fait allusion, peut-être deux fois depuis l'accident, il avait toujours dit « la mort de Gauthier », ce qui était plus que surprenant, même si nous savions à quel point il le préférait à Vincent ; mais dans une zone de la sensibilité minée à ce point, on retient son souffle. En parler entre nous, ma mère et moi, y penser, en rêver, se perdre en conjectures : point mort, progrès nul. Telle était la doublure de ces mois, où la visibilité de nos existences mêlées restait comme suspendue entre chien et loup, quand il ne fait plus jour et que la nuit ne se résout pas à tomber.

La commande d'un plafond monumental à Chagall, destiné à recouvrir celui du palais Garnier, souleva une réprobation unanime dans les salons parisiens : la conviction d'André s'en trouva renforcée, comme toujours en pareils cas. « Est-ce que tu crois que l'un de ces daims avait levé le nez, avant que j'aie cette idée ? » me demanda-t-il. Son goût du défi était comblé, en l'occurrence.

La fin de l'année s'approchait, et avec elle, la translation des cendres de Jean Moulin au Panthéon, que devait saluer un hommage solennel d'André.

Autour de lui, au ministère, on commençait à se douter que l'heure de la disgrâce de ma mère approchait.

La veille du samedi où la cérémonie et le discours étaient fixés, ma mère sut qu'il n'y aurait pas de voiture pour elle : on n'en avait trouvé aucune disponible à son intention, et comme André partirait très tôt de Versailles (son allocution étant prévue pour la fin de la matinée), nous louerions une voiture de place ou prendrions un taxi.

Ce qui devait arriver n'était pas évident : aurions-nous pu imaginer que nos lignes téléphoniques seraient plus ou moins en dérangement et que les deux bornes de taxis ne répondraient qu'en fin de matinée ? Nous aurions pris un train, mais de toute façon, pour aller à la gare, il nous fallait disposer d'une voiture, « la Lanterne » étant située hors de la ville. Il était tard, si tard. Trop tard. Nous n'arrivâmes qu'à la fin du discours paternel.

Au déjeuner, le visage clos, André ne parla pour ainsi dire pas. Je vis, l'unique fois de ma vie, ma mère avaler d'un trait un demi-verre de Scotch pur, pour surmonter ce que cette contrariété avait d'odieux.

L'engrenage de dégradation de tout était déjà en branle depuis pas mal de temps, et il était aveuglant qu'entre ma mère et son bureau, c'est à elle que seraient attribués tous les torts. Un peu plus tard, en début d'après-midi, j'eus l'occasion de dire à la secrétaire d'André ce que j'en pensais : elle joua l'étonnée, faussement contrite, niant l'évidence.

Il devenait clair que ce n'était qu'un début, et qui n'en resterait pas là. Pour Noël, nous changeâmes encore de palace, nous égarant au « Dolder », près de Zürich, où, l'été 1961, après l'accident de Gauthier et Vincent, nous avions fait un premier séjour. C'était là, appuyé au balcon de sa chambre, qu'il m'avait dit un jour : « Tiens, pendant une ou deux minutes, je crois que je n'ai pensé à rien ; ça ne m'était pas arrivé depuis vingt ans ! »

Bon ou mauvais, 1965 serait un tournant, pour nous, puisque, à la fin de l'année, le général de Gaulle arriverait au terme de son septennat. Repartirait-il pour Colombey ou solliciterait-il la reconduction de ses fonctions ? Il entretenait savamment l'égarement parmi ses proches les plus fidèles.

Cette manière de laisser planer un doute quant aux décisions que doit, seul, prendre le chef, avec la nécessité du petit mystère autorisant une marge de manœuvre jusqu'à la dernière minute, le Général s'en est expliqué dans *Au fil de l'épée*.

Par mimétisme, André l'avait faite sienne à un suprême degré. Pourtant, face à cette inconnue, il n'était pas plus avancé que nous.

A l'Institut d'Art et d'Archéologie, je suivais par intermittence les cours de Jean Grenier ; ceux d'Olivier Revault d'Allonnes étaient empreints de sa jeunesse et de son don d'animateur. Je m'y liai comme Christine Schumann et Ariane Faguer avec une certaine Marie-France de Noüe, jeune fille longue et mince au profond regard, aux grands cheveux blond-cendré. La voir réenfourcher son vélomoteur à l'issue des cours m'étonnait sottement de la part d'un être essentiellement poétique ; elle se passionnait pour l'œuvre de Pierre-Jean Jouve et y était sensible d'une façon extraordinairement personnelle, au point de penser lui consacrer, plus tard, une thèse. J'avais, quant à moi, moins de précision dans les idées.

Considéré — bien à tort — comme un parti intéressant à brève échéance par les mères de famille des beaux quartiers où se donnaient les soirées de nos vingt ans, je sortais presque sans cesse. Sauf du vendredi soir au lundi, temps consacré au culte de la famille.

Un dimanche de février, Paul-Louis Weiller nous invita à déjeuner en voisins au « Noviciat », maison de Versailles moins parfaite peut-être dans son architecture que « la Lanterne », mais plus chaleureuse et accueillante ; nous fûmes une trentaine de convives dont Nada Rodocanachi et son mari.

Auparavant, les Lazareff avaient insisté pour nous réinviter à Louveciennes. Depuis peu, André commençait à envisager que je fusse invité, en même temps que ma mère et lui, pourvu que ce fût hors de la vie officielle ; mais il restait extrêmement réticent s'il s'agissait de me mêler à ceux qu'il recevait sous son toit, faisant deux exceptions ; une pour son ancien frère d'armes de la guerre d'Espagne, l'Allemand antinazi Gustav Regler, l'autre pour Victoria Ocampo, l'amie de toujours.

La dernière fois que Jean Paulhan vint déjeuner chez nous, il refusa catégoriquement que j'en sois, alors que je le connaissais de Port-Cros ; comme ma mère insistait, il affirma lui avoir dit « cent fois » qu'il ne voulait pas mêler sa vie privée aux étrangers ; il ne lui avait jamais rien dit de tel, même s'il le croyait.

Après ce fastueux déjeuner chez P.-L. W., quel ne fut pas mon étonnement de voir les parents ne faire qu'un saut à la maison pour repartir chez Pierre et Hélène Lazareff, me reprenant avec eux.

Simone Signoret raconte bien, très bien. Mais dans son livre, elle situe sa « converse » avec Malraux deux ans trop tard (vers 1967) et donne un peu trop à penser qu'il s'agissait en quelque sorte d'une rencontre au sommet. N'exagérons rien : elle a pu articuler trois phrases et demie, il a enchaîné et mené la soudure jusqu'au bout. Avant que Malraux et Simone Signoret s'assoient et entament leur « duomono », je venais, l'instant d'avant, de faire la connaissance d'Anne Vernon, qui avait déjeuné là.

Comme moi, Anne était liée d'amitié avec une nièce d'Alice mariée au docteur Raoul Carasso, Marie-Louise Villiers. Cela nous rapprocha immédiatement et je tombai aussitôt sous son charme, mais elle partit très vite, n'écoutant pas le « Reste, on va se marrer ! » de sa consœur. Après son départ, je me promis de la retrouver. Ce dimanche de février compte encore pour moi non à cause de cet événement tout-parisien, mais par le lien qui est né entre l'héroïne d'*Edouard et Caroline* et moi. Indéfectible.

Cette année-là, elle restait auréolée du succès des *Parapluie de Cherbourg* et tournait dans l'adaptation en feuilleton télévisé des *Illusions perdues*.

En arrivant à la maison, je repris espoir : André avait aimé voir des visages nouveaux et semblait de bien meilleure humeur. Voilà qui était encourageant au moment où l'on s'y attendait le moins. Nous ne devions pas mettre longtemps à redescendre sur terre.

Les jours, les semaines qui suivirent n'apportèrent rien de positif. Il allait falloir se mettre à préparer les épreuves de juin, et je voulais avoir au moins un certificat sur deux, préférant que ce fût celui d'esthétique, à cause de Grenier et Revault d'Allones.

Quand Pâques arriva, André nous réserva une surprise doublement agréable. Non seulement nous n'irions pas sur les mornes rives du lac de Côme, mais nous reverrions Venise.

Nous y retournions en habitués, à la livrée ministérielle près, mise à laquelle les vieux patriciens locaux ne sont pas insensibles. Parmi eux, les dominant tous de sa stature, le comte Vittorio Cini nous fit visiter sa fondation dans l'île de San Giorgio Maggiore ; la fois suivante, il réunit autour de lui ce qu'on aurait pu appeler des « cousins italiens » des Guermantes, bric-à-brac extraordinairement faisandé de dames âgées aux noms balkaniques hérissés de titres rutilants, dont la jeunesse avait dû se pâmer à feuilleter *les Demi-Vierges,* ou encore de seconds rôles du *Henri IV* de Pirandello, anachroniques avant même d'être nés, éternellement égarés dans le présent. Leur fréquentation à plusieurs autres reprises fut riche en instants hauts en couleur, nous donnant alternativement des fou-rires déguisés en sourires et la chair de poule : leur pittoresque allait aussi loin que leur inconscience, laquelle frisait le sublime. Puis ce fut de nouveau Versailles. Avec des variations différentes de l'une à l'autre, les trois années qui venaient de s'écouler depuis notre installation à « la Lanterne » n'avaient été que le terrain d'un enlisement progressif. Nous vivions tous les trois dans une dilution de nos énergies affectives, entrecoupée de tensions presque insoutenables, à propos de rien.

Cette atonie de fond se retrouvait en chacun de nous : de plus en plus absent, André restait souvent reclus dans sa chambre, ma mère avait oublié qu'elle était une pianiste, et je m'étais réfugié dans l'insignifiance parisienne.

Mais ce qu'André a lui-même appelé une autocomédie, quelle que fût celle que chacun se jouait, ne pouvait durer indéfiniment. Entre mes parents, l'incommunicabilité s'approfondissait, devenant pour moi l'angoisse de chaque repas. Souvent, l'impression que j'étais, sans savoir comment, un interprète entre deux êtres qui ne possédaient plus la même langue fondait sur moi, dans quelles affres.

C'était le mois de mai.

L'orage qui couvait rendait l'air irrespirable.

Jusqu'au jour où, à la fin d'un déjeuner absolument muet, André a explosé. J'avais eu un signe avant-coureur de cette évolution trois mois plus tôt le soir où, dans la DS officielle, alors que ma mère revenait d'un court voyage en Suisse pour découvrir de nouvelles villégiatures à son intention, André disait avoir déjeuné avec Marcel Arland, lequel avait demandé « de vos nouvelles ; je lui ai dit : *Clara* est à la montagne ». Lapsus qui en disait long, et promettait.

Tenu au courant heure par heure de cet incident, je sus qu'André accusait ma mère de griefs non seulement presque tous imaginaires, mais insignifiants. Ce qui ne les empêchait pas d'être proférés avec la plus grande véhémence, mélange détonant de violence et de douleur.

Ma mère s'en était défendue dans la stupeur, d'abord, puis dans l'indignation. Mais si elle avait paré le premier coup, il était clair que ce qui en ressortait était d'une tonalité désastreuse, marqué d'une amertume immense et d'autant d'hostilité.

Les choses n'en resteraient pas là. André entretiendrait sciemment cette querelle sans aucun fondement sérieux, la reprenant parfois en ma présence à propos de tout et de rien, comme s'il ne se rendait pas compte... « L'amour c'est : n'importe quoi pourvu que tu sois là. La hainc, c'est : n'importe quoi pourvu que tu ne sois pas là », dit-il un soir à dîner, s'adressant à moi en présence de ma mère. J'ai compris, sans rien pouvoir faire, car le ressort était trop profondément faussé, déjà.

La réaction de ma mère fut celle qu'il attendait le moins et qui le dérouta à l'extrême. Repliée sur elle-même depuis trop longtemps, elle lui refusa une joute oratoire dans laquelle il ne pouvait que gagner, le renvoyant chaque fois à ses propres choix et à toutes leurs contradictions, dont elle se contentait de n'être que l'accompagnatrice, avec tant de calme qu'il se vit dans ses yeux comme quelqu'un qui glisse vers la folie. Il s'était transformé en coffre-fort vis-à-vis de ma mère : elle en avait fait autant vis-à-vis de lui. Il alla jusqu'à la supposer « téléguidée » par une amie psychanalyste : or, rien n'est plus étranger à ma mère qu'une scène. Elle se sentait impuissante à désamorcer une colère, une fureur qui venaient de si loin que les mots prononcés là ne pouvaient en aucun cas être la cause réelle de sa souffrance.

Le lendemain du jour anniversaire de la mort de Gauthier et Vincent, ma mère rendit à un couple d'Italiens qui nous avaient somptueusement traités à Venise leur invitation en les emmenant — seule — à l'Opéra.

Ce fut un prétexte, et une faible révélation.

Elle avait « osé » sortir la semaine de cet anniversaire, il allait se mettre à le lui répéter tous les jours. Prétexte d'autant plus faible que les dates de ce genre, tristes ou gaies, n'étaient pas le fort d'André : il se trompait régulièrement, et supportait mal qu'on fît allusion à sa date de naissance. Quant aux anniversaires d'autrui, il les ignorait. Révélation partielle, dans la mesure où ce biais laissait entrevoir que la cause première de tout cela était liée à la disparition de ses fils. Mais de quelle façon ?

Tout cela sonnait d'une manière incompréhensible.

Les reproches, en eux-mêmes sans grande portée, qu'il se mettait à adresser à ma mère au sujet de ses enfants prenaient une résonance particulièrement pénible par le caractère irréversible de leur absence ; seulement, comment les prendre pour ce qu'ils voulaient être de la part d'André qui ne lui en avait jamais fait de leur vivant, et avait attendu quatre ans après leur mort pour commencer ?

Le naufrage était proche. Qu'André fût livré à des

états de souffrances aiguës était aveuglant ; qu'il en voulût à ce degré à ma mère, d'un ressentiment global et indistinct était non moins clair et aussi alarmant.

Mais, une fois encore, si, en lui, tout semblait crier vengeance, de qui voulait-il se venger ? Ou de quoi ? En juin, il apparut qu'il ne pouvait plus travailler du tout, et il décida de s'embarquer sur un paquebot de ligne qui devait l'emmener en Extrême-Orient, accompagné d'Albert Beuret.

Nous avions bien compris qu'il avait besoin de s'isoler des siens, de changer d'horizon.

De chaque escale, aux mots que lui fit parvenir ma mère, répondirent dans un crescendo impressionnant des lettres débordantes d'accusations inimaginables dans leur disproportion. Quand il revint de son périple, en août, il intima à ma mère l'ordre de s'en aller : elle fit ses malles, et alla s'installer dans le pied-à-terre de l'avenue Montaigne, la tête bourdonnante d'imprécations. J'avais moi-même élu domicile dans un petit studio au 16, un peu plus haut.

Lorsque j'allai revoir André, à son bureau, il me proposa d'adopter un déjeuner hebdomadaire ; j'acquiesçai, me gardant d'aborder la crise du moment dans la mesure où je devinais que toute intervention favorable à ma mère ne pourrait que nourrir son obsession contre elle.

A quelques jours de là, je le retrouvai dans un restaurant italien de la rue de Ponthieu : il était dans cet état si caractéristique d'une phase violemment dépressive où la lucidité du sujet est aiguë sur tout ce qui est négatif, et absente ou aveugle quant à l'aspect positif des choses.

A la fin du déjeuner, après avoir fait preuve d'une optique entièrement nihiliste, il eut ce mot qu'on peut qualifier sans excès de shakespearien :

Ce que je veux est fou.
Ce que je peux est nul.

Je sentais que mes bonnes paroles, comme il disait, ne le rendraient pas moins malheureux, pas moins destructeur de soi et d'autrui. Et je rentrai lamentablement à pied, pour travailler dans ma garçonnière mon certificat d'esthétique dont j'avais passé l'écrit on ne sait par quel hasard en juin, en plein orage, mais pas l'oral. Que j'obtins, un mois plus tard.

J'avais envie d'aider ma mère, d'aider André : en fait, d'une semaine à l'autre, je mesurais mon impuissance : nuances et modifications n'allaient que dans le mauvais sens.

Une seule lueur d'espoir brillait pour André, sans rapport avec l'évolution de cette crise : il s'était remis à écrire, pendant son voyage, et son manuscrit le tirait en avant de lui-même en lui rendant une nouvelle énergie.

Pour ma mère, malgré la dureté de son éviction, j'étais moins inquiet, connaissant ses réserves de vitalité et d'équilibre. Je pariais sur un bénéfice secondaire de cette séparation, que je voulais croire provisoire malgré toutes les apparences du contraire, espérant que l'éloignement finirait par engendrer un sentiment de manque de part et d'autre.

Dans le sillage de Claude Pompidou qui, au lendemain de son expulsion de Versailles, l'avait invitée très officiellement à un concert dans sa loge pour manifester la permanence de ses sentiments, les signes d'amitié se multipliaient autour de ma mère. Il me semblait qu'André aurait à envisager tôt ou tard l'aide d'un médecin.

L'élection présidentielle donna un coup de fouet à la vie publique : enfin le général de Gaulle consentait à dire qu'il entendait rester au pouvoir, sollicitant la reconduction de son mandat peu avant la consultation. L'impréparation de sa campagne, l'accumulation de mécontentements de tous bords, le sourire hollywoodien de M. Lecanuet mirent l'homme du 18 juin en ballottage.

Le dimanche qui sépara les deux tours, ma mère et moi allâmes chez les Lazareff, qui avaient toujours tacitement soutenu le gouvernement du Général : cette après-midi-là, le flottement était roi autour de Pierre et d'Hélène, et on se bousculait moins que de coutume à Louveciennes.

André se porta immédiatement à la rescousse de De Gaulle. Au Palais des Sports, nous assistâmes au réveil du tigre, après les allocutions de nos amis Maurice Schumann et Edmond Michelet : Malraux apostropha François Mitterrand, l'homme qui venait menacer son suzerain, en des termes d'une féroce efficacité, retrouvant le ton millénariste des harangues du R.P.F. avec un bonheur d'expression dans l'anathème qui l'apparentait à Georges Bernanos. Mais si de Gaulle obtint sa réélection, ce fut sans grande conviction de la part des Français.

Entre-temps, Manès Sperber et quelques autres (dont moi-même) avaient tenté de parer aux difficultés où se débattaient mes parents. Après l'issue de la consultation électorale, André envisagea de reprendre la vie commune avec ma mère, mais je n'osais pavoiser, du moins pas encore. Les ravages étaient déjà allés si loin qu'on ne pouvait considérer cette seconde partie comme gagnée d'avance, il s'en fallait de beaucoup. J'avais acheté à mes parents une paire de chatons siamois, frère et sœur : leurs premiers chats en commun depuis vingt-cinq ans. On les appela Olympe et Octave.

Revenant de chez les Schumann, avec qui j'avais passé les fêtes, je préparai mon voyage en Amérique.

J'avais gardé la nostalgie de ce continent ; je résolus de prendre l'air hors de la famille, et partis pour New York où je serais auditeur libre à des cours de littérature américaine et d'histoire des Etats-Unis à l'université de Columbia. Ce n'était qu'un prétexte pour prendre du champ. Je ne me serais pas embarqué sur le *France* si mes parents s'étaient trouvés encore séparés : leur destin était de nouveau commun et leur appartenait, je n'avais pas à jouer la mouche du coche.

André subventionna voyage et séjour avec une générosité fastueuse dont il ne s'était jamais départi à mon égard : je pus voguer dans une cabine de première, disposer de ses droits d'auteur américains, aller m'enchanter du Mexique pour les vacances de Pâques (en particulier dans le Yucatan), profiter de ce que je me trouvais à New York pour entendre un récital de Vladimir Horowitz, réalisation d'un vieux rêve, et, à la limite, exaucer le vœu d'André me concernant : « Je voudrais que tu t'amuses. » Jusqu'à un certain point.

Car ce que j'avais tant redouté arriva : la séparation définitive de mes parents, de l'autre côté de l'océan.

Pendant ce séjour, la Comédie-Française vint donner *la Reine morte* que je ne connaissais pas encore. Dans cette salle new-yorkaise, lié à cette représentation par le privilège de pouvoir écouter notre langue en terre étrangère, j'éprouvai un choc en entendant le roi répondre à son conseiller qui lui demandait s'il n'aimait donc pas son fils : « Mettons que je l'aime assez pour souffrir de ne pas l'aimer davantage. » Telle une révélation, cette phrase trouva en moi la résonance d'un glas. D'autres, également de Montherlant, approfondies à cette occasion, m'interpellèrent : « Je vous reproche de ne pas respirer à la hauteur où je respire », et, m'interrogeant sur la solitude d'André : « Tant de choses ne valent pas d'être dites. Et tant de gens ne valent pas que les autres choses leur soient dites. Cela fait beaucoup de silence. »

Deux ans plus tôt, André avait pensé voir un nouveau médecin, le fidèle docteur Jacob, ancien de la brigade Alsace-Lorraine, « lui rappelant trop de choses ».

Traduire : Boulogne, notre enfance.

On lui conseillait de consulter le docteur Antoine Laporte, médecin des hôpitaux de renommée universelle. « Du temps où il soignait Vincent Auriol, il n'était pas du tout gaulliste », remarqua-t-il.

« Il est devenu bête : c'est le plus grand changement de la République ! » commenta notre amie Alice d'un air outré qui me fit rire aux larmes lorsque je le lui racontai.

Pas si bête que ça. André alla trouver le docteur Laporte (moins gaulliste que jamais), lequel le mit en contact avec son ami psychiatre le docteur Louis Bertagna. En trouvant avec lui un ton sincère, en étant également capable de plaisanter à bon escient — ce que peu de gens s'autorisaient à faire devant lui — ce médecin l'a sauvé d'un véritable cataclysme psychique, par une qualité d'écoute, de soins, d'attentions qui lui ont assuré dix ans de survie et permis de conclure la dernière partie de son œuvre, qui va des *Antimémoires* à *l'Homme précaire et la Littérature.* Rien de moins. Quand je revins d'Amérique, André était invisible, en retraite à Marly, que de Gaulle avait mis à sa disposition.

Ma mère et moi avions eu la tristesse de perdre notre amie de Port-Cros, Marceline Henry, pendant mon séjour new-yorkais. En octobre, ce fut le tour de Nada Rodocanachi.

André, je l'avais revu avec appréhension : il était toujours aussi charmant avec moi, mais ses griefs vis-à-vis de ma mère, réels pour lui seul, imaginaires aux yeux d'autrui, n'avaient pas désarmé ; sa rancœur s'étendait à ceux qui, comme les Pompidou, manifestaient qu'ils avaient aussi de l'amitié pour sa femme. Tout cela, hélas, j'y avais pensé par anticipation. Ce que je n'avais pas prévu, c'était que son état dépressif allait encore durer près d'un an.

Il vivait cloîtré dans sa chambre de « la Lanterne » avec nos deux chats siamois, ne voyant personne, après quelques heures passées au ministère. En semaine, il me conviait régulièrement chez Lasserre, parfois aussi chez Garin ou Lucas-Carton car il n'ignorait pas mes faiblesses.

Mais il rentrait chaque soir à Versailles pour s'enfoncer dans une solitude à peine imaginable. Carcérale.

Seul, oui, mais à ce point...

Pourtant, lorsque je vins passer trois jours avec lui pour la Toussaint, je flairai qu'il ressentait ma présence étrangement. Car enfin, ce n'était pas une B.A., de ma part. Or, au moment de m'en aller, comme je le saluais, il garda ma main dans la sienne un peu plus longuement et me dit, avec un regard poignant : « Merci. » J'en fus interloqué, suffoqué.

Jamais je n'avais entendu ce mot de sa bouche. A partir de ce soir-là, j'eus l'intuition absolue de ce que je ne m'étais pas encore nettement formulé : il vivait avec le sentiment de quelque chose qu'il considérait comme impardonnable, ou plutôt, qu'on me passe ce néologisme, quelque chose d'impardonné.

A supposer que ce fût un sentiment de culpabilité ressenti vis-à-vis de ma mère, ce n'en eût été qu'une part modeste. L'hypothèse que j'énonçai par-devers moi, rien ne devait la démentir, à mon sens, dans tout ce qui apparaissait alors et, par la suite, dans l'orientation qu'il devait donner à sa vie.

Je me rappelai de quelle façon il avait monté en

épingle les miettes qu'il reprochait à ma mère en ce qui concernait Gauthier et Vincent.

« Vous n'avez pas été une mère sublime ! » lui avait-il lancé, quatre ans après leur mort.

« Vous en connaissez beaucoup, des parents sublimes ? » lui avait-elle demandé, désarmée et plus désarmante encore. A quoi il n'avait absolument *rien* répondu. Son drame était une addition de drames : il n'avait pas voulu d'enfants, il en avait eu, il en avait perdu deux.

Les phrases atroces que je lui avais entendu dire concernant Vincent, en 1958, en 1959, refaisaient surface dans ma mémoire : paraphrasant Jules Renard qui avait déploré que tout le monde n'eût pas la chance d'être orphelin, André avait dit en boutade : « Tout le monde ne peut pas ne pas avoir d'enfants ! » — et, pire, celle-là, attribuée à Trotsky : « On a les enfants qu'on mérite... » Et les parents ?

Le tragique, n'était-ce pas d'avoir pris conscience que pour l'essentiel, sa vie et sa perception des choses ne se trouvaient pas fondamentalement changées par la disparition de ses fils ? Oui, c'était donc cela qu'il devait ne pas pouvoir se pardonner. Parfois, également, d'être toujours en vie (sentiment que j'ai longtemps éprouvé moi aussi). Il est vrai que, si je ne me trompe pas, il y avait là de quoi désintégrer un être humain. Il n'est pas donné à tout le monde d'éprouver un sentiment aussi irrémédiablement accusateur, et le retrouver chaque jour doit donner un avant-goût de l'enfer.

A la fin de 1966, dans la solitude de sa chambre, à Versailles, il semblait la proie d'une ombre visible pour lui seul et j'en gardai une sensation de véritable effroi, lorsqu'en le quittant, sur le pas de la porte, pour conjurer superstitieusement certaines de ses peurs, il me serra la main en posant cette question : « Alors on ne se revoit plus jamais ? », alors qu'il devait déjeuner avec moi la semaine suivante. Cette manière de « C'est-peut-être-un-adieu » se représenta plusieurs fois.

Cette année-là avait finalement été pire encore que la précédente, pour lui. Pourrait-il s'en relever ?

Il avait rompu à jamais avec sa femme dans la douleur la plus aiguë, celle de sentir qu'il ne supportait pas le témoin — ma mère fût-elle tacitement consentante à tout — de ce qu'il ne supportait pas de lui-même. Il avait perdu l'amitié fervente de son admirateur le plus sagace, Gaëtan Picon, qui n'avait pu accepter que lui fût imposée comme un fait accompli la nomination de Marcel Landowski au poste que, en tant que directeur des Arts et Lettres, il destinait et avait promis à Pierre Boulez : Gaëtan avait dû lui remettre sa démission. Et malgré beaucoup de travail sur l'écritoire, le livre entrepris et encore inachevé n'avait progressé qu'au détriment du bureau : « C'est un ministère sans ministre », m'avait-il dit en me remettant quelques pages écrites dans la semaine.

Ce n'était pas sans un certain malaise que j'avais dû, moi, pauvre moi, rassurer Malraux, ne manquant pas de lui dire que ce livre, c'était sa vie, et que rien n'était plus important que de le mener à terme. D'ailleurs, était-il sûr que ses chers collègues avaient de tels scrupules dans leurs hautes fonctions ?

Moi, j'en doutais depuis ce jour où le docteur Laporte m'avait fait cette confidence sur tous les ministres qu'il avait connus de la IIIe à la Ve : « Si on savait ce qu'ils font... » Oui, autant l'ignorer.

Quoi qu'il en fût, André ne disposait que formellement de l'instrument de travail qui lui eût permis de construire un ministère de la Culture à sa mesure.

Les 0,43 % de son budget ne lui donnaient que la possibilité de se défendre en poursuivant la mise en œuvre des Maisons de la Culture — souvent transformées localement en terrains d'essais électoraux qui en dénaturaient l'idée — et en prenant quelques mesures marquantes : « Avoir changé la couleur de Paris » selon ses mots, l'instauration d'un inventaire des monuments et des richesses artistiques de France, la loi-programme sur la sauvegarde et l'entretien de sept monuments d'importance nationale, la création de l'orchestre de Paris, etc.

Il faut nous arrêter, au chapitre musical.

S'il est vrai qu'il eut un mot déplorable lors d'une conférence de presse en qualifiant la musique d'art mineur — terme qui avait littéralement outragé Stravinsky — (ce qui était malheureusement vrai pour lui), il faut nuancer ce qui a été dit de sa prétendue surdité à la musique.

Mettant personnellement cet art au-dessus de tous les autres, je devrais peut-être hurler avec les loups. Non. Sans vouloir lui prêter ce qu'il ne possédait pas, une vingtaine d'années de ma vie passées sans le quitter m'ont appris que, contrairement à cette méchante réputation, il était loin d'être insensible à la musique.

Mais il n'y avait pas de commune mesure entre sa relation avec les arts plastiques, existentielle, et celle qu'il entretenait avec la musique : les uns *étaient* sa vie ; l'autre était pour lui une catégorie d'ornements qui parfois l'émouvaient. Son erreur fut de ne pas abdiquer un orgueil particulièrement mal placé devant la connaissance tout à fait professionnelle en la matière de ma mère, dont la modestie était excessive et qui savait mieux que quiconque qu'un rien suffisait à réveiller chez André un sentiment d'humiliation dont sa gloire n'était jamais venue à bout. Comment croire tout à fait sourd à la musique un homme capable de caractériser l'Air de la Tour de *Pelléas et Mélisande,* chanté par Victoria de Los Angeles, par ces mots : « C'est extraordinaire, elle chante blond ? »

Sur la polémique Boulez-Landowski, dont la plus

triste conséquence ne fut pas le claquement de porte du premier mais la rupture entre Malraux et Picon après trente ans d'affection de Gaëtan pour André, il y aurait de quoi écrire un essai. Ce qui est certain, c'est que le dossier n'est pas clos. Non que je prenne le parti de Landowski contre Boulez : ils sont nés pour accomplir des choses différentes et fort bien tous les deux. L'un aura été un administrateur acharné à la tâche, infatigable dans son attachement à la mise en place d'une infrastructure de l'enseignement musical dont les résultats commencent à apparaître.

L'apothéose de l'autre se passe de mes commentaires. Malraux était à la fois un visionnaire et un bretteur, non un homme d'administration : imagine-t-on un bureaucrate écrivant *l'Espoir* ? « Je me rends compte que je ne comprends rien à ce que dit ce monsieur », avoua Antoine Pinay en toute ingénuité à l'issue d'une intervention du monsieur à l'Assemblée nationale. Louable franchise, et courageuse. Je me demande combien de ses collègues (!) ont été illuminés par cet éclair de lucidité. Ou plutôt je ne me le demande pas, en faisant peu d'exceptions dont celles de notre ami Maurice Schumann qui l'a lu à fond, d'un lettré comme Edgar Faure, sans doute d'Alain Peyrefitte, et de notre actuel président : je ne parle ici que des vivants. Suis-je injuste pour quelques autres ? C'est possible. Citons encore Gilbert Granval, Jean-Marcel Jeanneney, Louis Joxe : en onze ans, ça ne fait pas un écrase pieds.

De fait, Malraux n'était des leurs que par un malentendu, le général de Gaulle n'ayant créé un ministère pour lui et ne le comblant d'égards, d'honneurs ou de lointaines missions de prestige que pour tâcher de lui faire oublier qu'au sein de son gouvernement, aucune vraie responsabilité politique ne lui serait jamais confiée.

Le Général se réservait la politique étrangère, domaine auquel il s'adjoignait les rares options qu'il jugeait décisives, le reste lui paraissant propre à occuper l'intendance, qui suivrait.

Au Premier ministre de superviser le travail de tous les autres ; il se trouvait également chargé de traduire les initiatives présidentielles à l'intention de la majorité en ce qui concernait la politique intérieure, où il avait son mot à dire.

A charge pour l'infanterie, autre nom de la piétaille, de remplir la Chambre et d'être une claque efficace en ne laissant jamais passer une occasion de s'égosiller pour « tonner contre » tous azimuts.

A la lumière de ce qui précède, on comprend sans peine qu'André, qui, parallèlement à ces rails fastidieux, gardait à de Gaulle une fidélité passionnelle, quasi filiale, se soit progressivement détaché de ses activités officielles.

Certes le Général lui avait donné carte blanche pour ses choix esthétiques quant aux hommes et quant aux œuvres : nomination puis éviction de Boisanger au Français, nomination de Balthus à la direction de la Villa Médicis, de Georges Auric à la tête de la R.T.L.N., plafond de Chagall à l'Opéra de Paris, de Masson à l'Odéon devenu le Théâtre de France pour couronner la compagnie Renaud-Barrault ; mais enfin, faudrait-il s'en extasier ?

Il me semble, à l'inverse, que c'était la moindre des choses. L'idée d'un musée du XXe siècle, chère à Gaëtan Picon et reprise par Georges Pompidou avec la création du centre Beaubourg, André en parla devant moi assez souvent mais, comme il le disait : « pour se faire des rêves. »

Preuve qu'il était déjà ailleurs. Ne savait-il pas, au demeurant, que le général de Gaulle était fort indifférent à ces questions ? Une fois, une seule, André laissa paraître son amertume vis-à-vis de lui, après l'une de ses interventions télévisées : « Il n'a pas dit un mot de ce que j'essaie de faire. » Pas un. Même en cherchant bien. Mais telle était la nature de ses rapports avec de Gaulle qu'il acceptait de lui ce qu'il n'eût toléré de personne. Il avait fait son deuil d'être mis devant le fait accompli des décisions prises d'En Haut.

De même qu'il avait été pris au dépourvu par le refus gaullien de laisser entrer dans le Marché commun la Grande-Bretagne en janvier 1963 lorsqu'il se trouvait aux Etats-Unis pour accompagner Mona Lisa (plus même que notre représentant aux Nations unies, Roger Seydoux, moins surpris par le fond que par le ton dramatique du Général), de même qu'il n'avait pas prévu l'escalade verbale du général de Gaulle contre la politique américaine au Vietnam, il ne put que constater sa volte-face au Proche-Orient sans mot dire. Venu passer trois jours à Versailles pour m'isoler en mai 1967, à la veille de nouveaux examens, anxieux de la tournure des événements, je tentai de l'interroger sur notre politique dans ce conflit mais en vain.

Auparavant il m'avait dit toute la sympathie qu'il éprouvait pour Israël et plusieurs de ses leaders : Ben Gourion, Golda Meir et le général Dayan qui lui avait beaucoup plu.

En 1956, il avait écrit un beau texte dédié à Jenka Sperber sur la résurrection de ce pays, dont il aimait le courage ; nul doute que les sentiments de Malraux lui étaient plus favorables qu'au camp arabe. Pourtant, il avalisa la prise de position du Général, du moins par son silence. Cependant là ne fut pas le plus surprenant. Ce fut que ni de Gaulle, ni lui ne purent se voir dans la situation israélienne : en effet peut-on imaginer ces deux grands hommes attendant (comme pendant la Drôle-de-Guerre) que l'encerclement ennemi de notre armée fût complet, sans broncher, et suspendus aux conseils de prudence d'un chef d'Etat étranger ? Rien qu'à l'énoncé de cette hypothèse par l'absurde, nécessaire pour se replonger dans le contexte de la guerre des Six Jours, on n'en croit pas ses yeux. L'ironie de la chose voulant que notre gauche emboîtât le pas à de Gaulle, tout en jurant le contraire, comme de juste. Pendant une décennie, nous avons lu et entendu qu'en raison du problème palestinien, (qu'on ne saurait sous-estimer), aucun dirigeant arabe ne pouvait envisager le moindre compromis avec l'agresseur israélien.

Jusqu'à ce jour de 1977, où l'Egyptien Anouar El Sadate, se souvenant que le mouvement se prouve en marchant, a décidé que c'était possible.

Au lendemain de cette guerre des Six Jours, dont les stratèges occidentaux pourraient retenir la leçon, nous autres Français nous retrouvâmes en pleine confusion : les gaullistes étaient pour la première fois divisés ; les communistes approuvaient le Général comme pour le Vietnam ; l'opposition de gauche non-communiste ne savait trop comment faire passer dans l'opinion publique son regret de la victoire-éclair des Israéliens ; l'opposition de droite, nostalgique de Vichy, antisémite de cœur et prête à tout, était unie derrière Israël comme un seul homme ! Bref, un chef-d'œuvre de politique-fiction tournant à la cacophonie.

Ce brouhaha ne troublait pas André outre mesure.

La touche finale qu'il apportait à l'ultime correction des épreuves de son nouveau livre absorbait ses jours et ses nuits. De son côté, ma mère ne chômait pas non plus. Grâce à un geste amical de Nicolas Nabokov, appuyé par Dominique, sa toute jeune femme, ma mère donna un récital au festival de Berlin, encouragée activement par nos amis Bella et André Meyer : elle se prouva qu'elle pouvait rejouer en public après vingt ans d'éloignement, et continua pour son plaisir aux

Etats-Unis, souvent dans le sillage de George Balanchine avec la troupe du New York City Ballet. A Paris, la sortie des *Antimémoires* rappela aux gens de lettres qu'un certain André Malraux existait toujours et même qu'il écrivait encore : ce fut un triomphe, qui me mit en joie pour André. Cette immersion dans un bain de succès lui fut un immense réconfort. Il n'y a guère que Simone de Beauvoir pour trouver que ce livre ne recouvre que le vide. Grand bien lui fasse !

Emergeant d'une longue station dans le noir, André avait retrouvé Louise de Vilmorin. Peu avant la parution de son livre, il m'avait emmené déjeuner et fait cette confidence, aussi émouvante que pleine d'esprit : « Quand ce livre va sortir, je veux faire ce que les bourgeois appellent une dépense intelligente : je vais t'acheter un appartement. » J'en fus touché au-delà des mots.

M'étant conformé au plafond qu'il m'avait indiqué, je trouvai après maintes recherches un atelier du côté de Montparnasse, gîte éclairé d'une grande verrière, empreint d'un charme exceptionnel. Pour lui-même, André avait acquis un duplex rue de Montpensier, presque en face de son bureau. Mais il ne m'en dit rien, pour préserver sa vie privée.

De fait, j'aurais compris mieux qu'un autre ce souci et l'aurais respecté : en l'occurrence, cela m'était difficile dans la mesure où Paris ne bruissait que de ses retrouvailles avec Madame de.

L'indication la plus précieuse que j'avais reçue de lui ne concernait pas la dame, mais Flo pour laquelle il m'avait remis un exemplaire de ses *Antimémoires*.

Ainsi, mon espérance avait-elle eu raison de me souffler qu'il ne fallait pas s'avouer vaincu mais patienter, mettre une rallonge à sa patience, ne plus douter.

D'enthousiasme, j'avais passé coup sur coup deux

autres certificats de licence : littérature et civilisation américaines et études théâtrales. Pour celui-ci, j'avais choisi une option de musicologie. Comme pour mon premier C.E.S., d'esthétique, je le passai avec mon professeur, Jacques Chailley ; mais dans cette option, nous n'étions que deux pour toute la région parisienne, et comme l'autre ne vint pas, je restai candidat unique... L'œuvre sur laquelle il m'interrogeait me facilita cette épreuve : c'était *Pelléas et Mélisande,* vieille passion de Roland, mon père, que ma mère m'a transmise. Avec l'idée de compléter cette licence libre, je m'inscrivis cette fois aux cours du C.E.S. de lettres anglaises. J'y découvris le beau roman foisonnant de D.H. Lawrence, *Women in love,* auquel le cinéma n'avait pas encore apporté son éclatante mise en lumière. André l'avait-il lu ? Il ne me semble pas, malgré sa préface à *l'Amant de Lady Chatterley,* avant la guerre. Autour de lui, le raz-de-marée qui avait suivi la sortie des *Antimémoires* continuait à déferler.

Me rendant avec André au restaurant, pris avec lui dans la voiture ministérielle au milieu des embouteillages de la place Colette, je me hasardai à lui demander s'il n'en était tout de même pas content : « Assez content », consentit l'auteur. Deux mois plus tôt, au même endroit, dans la même circonstance, évoquant la perspective de sa rentrée littéraire après dix ans d'absence, il ne me l'avait pas caché : « Je leur montrerai que je suis le plus grand écrivain de ce siècle », avait-il précisé avec une simplicité de bon aloi. Pour autant, il ne mésestimait pas les autres grands.

C'était lui personnellement qui s'était employé à obtenir que la place du Palais-Royal fût rebaptisée place Colette. Sa fille, Colette de Jouvenel, que j'avais retrouvée, lui en reste reconnaissante. Saisi par une nostalgie assez inhabituelle chez André, il eut envie de revoir l'appartement où la magicienne de *la Naissance du jour* avait achevé son œuvre et sa vie. C'était facile : nous allâmes à pied de l'autre côté du Palais-Royal déjeuner chez Colette de Jouvenel qu'il était doublement content de revoir, sachant combien mon père et elle avaient été liés avant et pendant la guerre. En 1945, à peine avait-il été investi de la confiance gaullienne et de fonctions idoines, qu'il avait eu à cœur de faire accorder une priorité à Colette-la-Grande pour qu'elle étrennât le premier papier bleu de l'ère nouvelle : elle l'avait fait en rédigeant la lettre par laquelle elle l'en remerciait.

Malraux eût aimé aborder avec elle les mystères de leur commune divinité : le Chat ; mais ce qu'il savait de l'inévitable personnage sans lequel jusqu'à sa mort, on n'approchait plus Colette, lui avait fait penser à autre chose. Il ignorait toutefois, en déjeunant ce jour-là avec moi à sa table, que Colette de Jouvenel ne fût pas propriétaire de ce cadre qu'il était content de retrouver indemne, jalousement préservé par notre amie.

S'il avait su qu'elle n'en était — scandaleusement — que locataire, je ne doute pas qu'il s'y fût intéressé de près pour envisager la création d'un musée Colette comme il y a un musée Courbet à Ornans et un musée Balzac rue Raynouard. La chose alors lui paraissait aller de soi à la fois par l'estime et l'amitié qu'il portait à Colette de Jouvenel et parce qu'il la savait attachée avec ferveur à la conservation de ce pur décor. Séduits, l'un après l'autre, par cette idée, aucun de ses successeurs n'y a donné suite. André, pour sa part, n'était pas seulement intéressé par les écrivains du passé : pour *les Paravents* de son contemporain Jean Genet, il monta en ligne à l'Assemblée générale où quelques-uns des plus tristes soutiens du général de Gaulle étaient venus se plaindre qu'une salle subventionnée comme l'Odéon-Théâtre de France représentât une pièce remplie d'obscénités, antifrançaise et contraire aux bonnes mœurs, est-ce bête !

Bref, les plaignants donnaient de la voix pour s'indigner de voir les contribuables transformés en mécènes de la subversion. André s'en fut leur dire qu'ils se trompaient de ministre des Affaires culturelles et de régime.

Pour lui, 1967 avait été une grande année, celle d'un nouveau sacre dans l'empire des lettres.

1968 serait le temps des avanies.

En février, ce fut l'affaire Langlois.

Initialement, la cinémathèque avait campé d'un gîte à l'autre, échouant quelques années avenue de Messine où enfant, je vis *l'Espoir*, avec mes frères, comme dans le métro à 6 heures du soir, ma mère n'ayant pu revoir le film que grâce à la courtoisie d'un garçon qui accompagnait Flo et avait eu la bonne grâce d'y assister debout.

Une fois ministre, André avait obtenu que Langlois disposât d'une vraie salle aménagée dans les réserves du Palais de Chaillot, ainsi que d'une aide financière relativement substantielle.

C'était dans ces locaux que, quelques mois plus tôt, André était venu inaugurer l'exposition rétrospective des photos de son amie de jeunesse Germaine Krull.

Le dialogue de sourds entre l'Administration de tutelle et Langlois aboutit soudainement à son renvoi de ce poste. Le tollé fut général et François Truffaut en fit le générique de *Baisers volés,* film irrésistible où passe le meilleur de son talent mais pas le déferlement de haine qui vint encercler André. Pour éviter que cette affaire ne dégénérât complètement, une solution de compromis fut trouvée peu après. Mais février 1968 fut aussi, en sens inverse, un mois miraculeux. Car c'est alors que Flo et son père se réconcilièrent sérieusement. J'amenai ma douce aînée au ministère, étreint par ce que notre rendez-vous à trois avait de trop beau pour y croire tout à fait. La petite porte latérale qui accédait à son bureau s'ouvrit à nous et d'un coup, je vis André et sa fille converser, après l'imperceptible flottement des premières secondes. Je voyais cela : *c'était arrivé.*

Nous allâmes fort bien déjeuner et c'était ce que nous pouvions faire de plus agréable pour enterrer une brouille qui avait duré plus d'un septennat. Notre familiarité quant aux souvenirs communs, aux mille et une complicités qui nous avaient permis de ne pas désespérer — et parfois d'en sourire — durant cette longue, cette interminable traversée, à Flo et à moi, fournit d'excellents points de reprises lorsque certains passages d'ange menacèrent de se mettre à table avec nous.

Le public de chez « Lasserre » dévisageait avec un étonnement mal dissimulé le profil parfait de cette presque jeune fille habillée si simplement et si dénuée de tout apprêt.

Ce jour-là compte parmi ceux, très rares, où j'ai éprouvé le plaisir d'avoir gagné quelque chose, en ce monde dans lequel Baudelaire nous a enseigné que l'action n'est pas la sœur du rêve.

La nuit suivante, j'ai mieux dormi.

En mars, invité en même temps que ma mère en Inde par nos amis Dayal, qui venaient de quitter leur ambassade à Paris, je l'accompagnai à travers leur pays pour la tournée de récitals qu'elle y donna au profit d'un laboratoire scientifique.

A ses côtés, grâce à nos hôtes, je retrouvai ici ou là ce qu'André en avait dit ou écrit, et me rendis compte que mon impression de « déjà vu » venait, à plusieurs reprises, directement de ce qu'il en avait capté pour son nouveau livre.

Deux mois passèrent, pendant lesquels nous retrouvions nos déjeuners hebdomadaires ; à l'un d'eux, chez Alice, alors qu'elle nous rapportait de seconde main un mot récent d'Aragon qui aurait dit qu'il en avait assez de l'univers, André haussa les épaules avec cette réplique : « L'univers ? Pseudonyme ! »

Au début du mois de mai, les troubles qui avaient agité la faculté de Nanterre et pas mal de cours à Censier et à la Sorbonne reprirent de plus belle. Les tout premiers jours, cela paraissait être un coup de fièvre et de mécontentement conjugués. Lorsque nous déjeunâmes au « Coq Hardi », à Bougival, Flo, son père et moi, il était de nous trois le plus frappé par l'ampleur du mouvement, la détermination qui animait les leaders étudiants, le plus préoccupé aussi du nombre massif d'arrestations. Personnellement, ayant suivi mes cours de littérature anglaise avec tiédeur, indifférent aux problèmes spécifiques qui remuaient les étudiants de mon âge, je trouvais fort intéressant d'en entendre parler par un homme comme André. La résurrection de 1967, la clameur qui avait salué les *Antimémoires,* l'attention sans faille du docteur Bertagna pour son illustre patient, le rendaient mieux disposé et beaucoup plus attentif à examiner, avec la neutralité bienveillante qu'on prête aux psychanalystes, les vraies raisons du soulèvement estudiantin sans toutefois jamais oublier qu'il était objectivement du côté de la cible. Mais d'une extrême bonne foi.

Ces déjeuners eurent souvent lieu le dimanche dans le cadre du « Coq Hardi » car en semaine Flo était l'assistante d'Alain Cavalier pour *la Chamade.* L'impact de ces échanges était très grand parce qu'ils baignaient dans un climat excellent et bénéficiaient de beaucoup plus de liberté de ton que naguère entre Flo et son père ; il n'ignorait pas combien elle était loin de sa position. La meilleure preuve de cette confiance retrouvée se trouve dans la date de ces déjeuners : mai

1968, qui devait être le point où s'entrechoquèrent toutes les contradictions de l'heure. Vers le 15, il était clair que la crise s'intensifiait au lieu de se résorber. A la surprise générale, les coups de boutoir contre le gouvernement avaient porté, l'un plus que l'autre. En accueillant plus de curieux qu'il n'avait eu de spectateurs, l'Odéon changea de programme. A la Sorbonne, investie, elle aussi, le spectacle devint permanent.

Il le devint d'une façon générale, sauf sur les scènes et les écrans qui subirent une hémorragie sans précédent. Comme beaucoup de candidats en puissance, je voyais que les examens seraient au moins retardés, si les choses suivaient toujours la même évolution.

La télévision nous renseignait de plus en plus mal, manquant à sa mission, qui aurait dû être de nous éclairer partout où c'était faisable. Pesamment, prudemment, les grands appareils politiques, les états-majors syndicaux mirent leur masse en mouvement. Aucun homme politique, à gauche ou du côté gaulliste, n'avait prévu quoi que ce fût. Aux raisons de grèves « classiques » — celles des organisations syndicales — vinrent s'ajouter toutes sortes d'autres revendications. Comme les autres tournages de films, celui de *la Chamade* s'arrêta.

L'O.R.T.F. s'était immobilisée, de Gaulle était rentré de Roumanie, il allait parler. Son allocution tomba complètement à côté de la plaque, il fut le premier à le reconnaître. Pour ma part, je ne l'avais pas trouvée mauvaise, mais j'avais senti que ce langage, beaucoup trop raisonnable, ne pourrait se faire entendre dans la fébrilité générale.

Chaque jour, je parlais avec Alice, peu concernée par les problèmes étudiants et très proche de Raymond Aron par sa position : « Tout ça n'a ni queue ni tête, mais si on me demande quoi faire, alors là, je sèche » m'avait-elle dit, exprimant brièvement ce qui se disait sans fin tout autour de nous. Flo, quant à elle, fut prise par les séances des états-généraux du cinéma dont je me suis laissé dire qu'ils avaient été l'occasion des attaques les plus démagogiques contre les noms consacrés, puisque les doublures étaient allées jusqu'à se plaindre de ne pas tenir les rôles... de ceux qu'elles doublaient. La mise au pilori de Raymond Aron par son ancien condisciple Sartre, décrétant au moment le mieux (c'est-à-dire le plus mal) choisi qu'il n'aurait plus le droit d'enseigner avant d'avoir fait son autocritique, me fit mal. Mais l'étudiant qui apostropha l'auteur de *Huis-clos*, lors d'une prise de parole, par un « Sartre, sois bref ! » amusa André. Pourtant, Dieu sait qu'il avait aimé *les Mots* à leur valeur.

La façon dont Daniel Cohn-Bendit refusa à Aragon de s'identifier au mouvement à cause de tant d'années de stalinisme militant montra bien que les têtes d'affiche n'intéressaient pas les adeptes du Mouvement du 22 mars : ils voyaient dans les vedettes des grands-papas hors d'usage.

Le général de Gaulle avait eu l'intelligence de déclarer la situation insaisissable : on ne pouvait rien dire de plus précis, tout en n'ayant pas avancé d'un demi-pouce. Les négociations de Grenelle, menées à la force du poignet par Georges Pompidou, semblaient sur le point d'aboutir à un accord. Aussitôt après la signature qui en était l'aboutissement le plus concret, la base refusa les conclusions approuvées par les grands patrons syndicaux.

Cette semaine-là André avait eu l'idée de changer de grand restaurant : il m'emmena à « La Tour d'Argent ». C'était une idée des plus pittoresques, et je lui serai toujours reconnaissant d'avoir pensé à ce cadre à cette date de notre histoire : en dehors d'une table, occupée par deux touristes peu informés, nous y étions à peu près seuls, lui et moi. « Pendant la guerre, j'y suis venu une fois : il y avait beaucoup plus de monde ! » m'assura André. Deux jours plus tard, même lieu, même heure avec Flo.

« Maintenant, dit-il, nous entrons dans ce qu'on appelle en Russie le temps des troubles : on est dans l'imprévisible, tout, absolument tout peut arriver : les provocations, Séguy assassiné, le Général au poteau, les chars après-demain sur les Champs-Elysées. Regardez bien. Et regardez aussi ce restaurant, nous n'y reviendrons peut-être jamais, pour une raison ou pour une autre. » Docile, je savourai à son inappréciable valeur le succulent canard au poivre vert en redoublant d'appétit : serait-ce le dernier canard à Paris ? Puis je les quittai pour aller à vélo à ma séance d'analyse. Mes petits-enfants me croiront-ils, lorsque je leur raconterai que « La Tour d'Argent » désertée, la psychanalyse freudienne, la bicyclette à Paris ont existé puisque je les ai pratiquées toutes les trois ? S'ils croient encore au père Noël, ce n'est pas impossible. Sinon, j'ai grand peur qu'ils me refusent toute crédibilité. Quand j'aurai ajouté que, ce soir-là, ma mère m'avait téléphoné de New York pour me demander si je ne manquais de rien, nous croyant affamés, la confusion sera à son comble...

Le surlendemain de ce déjeuner, merveilleux au sens où les contes de fées baignent dans le merveilleux, le discours sans visage du général de Gaulle, radiodiffusé à tous les vents du pays « Sur les routes de France, de France et de Navarre... » renversa la vapeur en quelques minutes. Je n'avais pas attendu l'heure de l'émission pour noter sur mon agenda : Manif gaulliste ; ni qu'il articulât son « Je ne me reti-re-rai pas ! » pour être certain d'en être. Ma présence sur les Champs-Elysées, je ne la renie pas. Si c'était à refaire, je ne suis pas certain que je le referais parce que le vrai sens de ce rassemblement était la trouille viscérale. Alors que je n'avais aucune peur de cet ordre et que, comme Lucie Schumann, comme Colette de Jouvenel et tant de mes amis, j'étais là pour rappeler mon attachement à la figure de De Gaulle au moment où il était le plus menacé, et ma reconnaissance à ce grand-père spirituel pour ce qu'il avait fait de vraiment grand : la Résistance, la fin de la guerre d'Algérie. Nous étions tout de même assez nombreux, au milieu de cette marée humaine, à avoir eu d'autres motivations que la crainte.

« Nous étions bien seuls », dit Louise de Vilmorin à André, parlant des derniers jours de Mai 68 : je ne relevai pas la phrase qui, pour juste qu'elle fût, ne me convenait pas venant d'elle — Nous ? Qui : nous ? car je refusais de m'identifier à ceux qui n'avaient craint que pour leurs privilèges. Quant au général de Gaulle, avec une clairvoyance exempte de vanité, il ne fut pas plus dupe de l'écrasante victoire électorale qui lui donna une chambre introuvable qu'il ne l'avait été du succès retentissant de notre cortège du 30 mai sur les Champs-Elysées.

Mais ce ne fut pas à moi qu'André confia : « Le coup est mortel » : ce fut à Louis Guilloux qu'il fit cet aveu.

Fatal, il l'était vraiment.

Le 20 juin, le discours qu'André prononça au Palais des Sports fut remarqué par les plus lucides de ses adversaires, tel Jean Daniel ; il s'y était montré étincelant d'intelligence et tellement au-dessus de la mêlée que je me demande où Simone Signoret est allée pêcher qu'il en était venu à entonner « La France aux Français ». Que ne s'est-elle un peu mieux informée ! Mais pour que Simone Signoret ait raison et André Malraux tort, *il faut* qu'il soit tombé si bas.

C'est là encore une variante de l'amalgame, technique stalinienne, que la dame dénonce à cor et à cris sans se rendre compte qu'elle l'a assimilée au point de la pratiquer à son insu.

Ce fut dans cette allocution que Malraux parla de crise de civilisation. Le mot, alors, n'était pas encore sur toutes les lèvres et beaucoup de gens trouvèrent à dire qu'il s'était laissé emporter par les mots et avait été dépassé par leur lyrisme. Pourtant, nous voilà maintenant au cœur de cette crise, orphelins de ces valeurs suprêmes dont André avait ressenti et dénoncé l'absence.

De Gaulle, alors, sut faire appel à des talents comme celui d'Edgar Faure pour reprendre l'Education nationale ou de Maurice Schumann prenant le ministère du Travail ; néanmoins le cœur n'y était plus. Le charme était rompu.

Privée du soutien des électeurs, qui n'était dédié qu'à la figure de Georges Pompidou, la nouvelle équipe souffrait de l'ébranlement personnel du Général, que la baraka avait fui après un ultime « revenez-y », lors de son coup de théâtre de la fin mai. Ce Général dont une fois André m'avait dit en tête à tête dans un murmure ébloui : « Le merveilleux est de pouvoir se dire que, dans cette histoire, tout est né d'un bluff », de celui du 18 juin 1940 à celui du 30 mai 1968. » Là, il était en admiration devant quelqu'un qui parvenait à le surclasser dans l'un de ses jeux favoris. Aux amis qui venaient de l'étranger, cet été-là, il était bien malaisé de raconter ce qui s'était passé chez nous. Autant que de leur expliquer comment le mouvement de mai avait abouti contre toute attente à donner à de Gaulle une Chambre sans précédent.

Pour eux, Français de l'étranger (ou simplement en voyage) ou non-Français pétris de culture hexagonale, c'était à n'y rien comprendre. D'ailleurs, il n'y avait pas eu de morts.

Des terrasses de cafés aux lambris officiels en passant par l'ensemble de la presse, les taxis, les salons et les rencontres inopinées de ceux qu'on revoyait pour la première fois depuis « les événements », on n'entendait que cette phrase : « Oui, mais à la rentrée... », l'expression étant à prendre tantôt avec espoir, tantôt avec appréhension.

Aux deux extrémités de l'opinion, on apercevait les gens de même pelage, même si leurs couleurs s'opposaient si violemment — ceux qui veulent toujours en découdre : revanchards qui appelaient à la répression et en face, nostalgiques d'une guerre civile, les Espagnols ayant eu la leur, tout comme les Grecs, alors pourquoi pas nous ? A réfléchir sur l'absence de lendemains politiques qui suivit la ferveur jaillie spontanément en 1968, on peut se demander si les seuls vrais « récupérateurs » du mouvement — aussi efficaces qu'éphémères — n'ont pas été les principaux leaders de l'opposition : face à l'effondrement du gouvernement de De Gaulle, il était de bonne guerre de prendre en marche un train si bien lancé pour rajeunir leur image de marque — mais certes pas pour remettre aux mains des jeunes leurs pouvoirs, acquis à l'ancienneté. Cela expliquerait pourquoi les gens de vingt ans ne croient absolument plus un mot dès lors qu'il émane de l'*establishment* politique, et renvoient dos à dos les professionnels du genre, qu'ils soient d'un bord ou de l'autre. « Personne n'a su parler à la jeunesse », déclara Malraux dans une interview : je n'ai rien entendu de plus juste. Mais cet aveu, que j'aurais aimé ouïr sur les lèvres d'un homme de gauche, est aussi le plus total constat d'impuissance que je connaisse, et qu'on le veuille ou non, on ne vit que d'espoir. Alors ? Comme Alice, je sèche, me retrouvant en bonne compagnie dans les poubelles de l'Histoire.

Pour ce qui est de la relative paix sociale qui suivit l'explosion, il semble que Bernard Frank ait vu extraordinairement clair en écrivant dans son remarquable *Siècle débordé* que de Gaulle n'avait pas voulu que dans sa biographie du *Larousse* figurât cette ligne : « En 1968, fit tirer sur les étudiants. » Les représailles qui s'abattirent sur certains journalistes de l'O.R.T.F. relevèrent de la plus pure bêtise administrative : ils n'avaient pas été en mesure de faire leur travail, au mois de mai.

Le 4 juillet, jour de l'Independence Day, André m'emmena à la réception traditionnelle que donne l'ambassade des Etats-Unis. A un journaliste qui, ayant essuyé un refus de sa part, s'en prit à moi, et me demanda à brûle-pourpoint s'il était difficile d'être le fils, je répliquai : oui, mais alors, d'être le père !

André me fit l'honneur de me demander mon avis en ce qui concernait Jean-Louis Barrault, jusque-là directeur de l'Odéon ; je lui déconseillai vivement de l'en chasser. Certain, hélas, qu'il ferait le contraire, non par esprit de contradiction mais parce que le Général et son entourage au ministère le voulaient et qu'en face d'eux, je ne pesais guère plus qu'une plume d'édredon.

Ils lui reprochaient d'avoir été un peu trop gaulliste en avril et pas assez le mois suivant : c'était vrai. Et aussi de n'avoir même pas eu la reconnaissance du ventre. Ils oubliaient tant de talents et neuf ans d'excellent travail. De surcroît, son éviction se retournerait contre André : ce qui ne manqua pas de se vérifier.

Autant je le déplorai, autant je fus surpris par les réactions de ceux que les grands intellectuels ignorent, ceux que certains appellent les petites gens : « Eh ben vous lui direz, à vot'papa qu'il a bien fait de les débarquer, ce Barrault et sa bonne femme ! Non mais c'est qu'y s'refusent rien, ces gens-là : en plus d'un théât' et d'nos sous, faudrait encore qu'y fassent eul'cirque avec les agités ! Non mais dites-donc ! » La marchande de journaux qui me tenait ces propos au coin de la rue n'avait malheureusement pas la beauté d'Arletty sur la passerelle du canal Saint-Martin, mais elle avait bien une gueule d'atmosphère *.

« On les aurait gardés que je me serais faite Tchécoslovaque ! » me dit une personne du quartier. En vertu de quoi on déduirait facilement que les têtes pensantes et le petit peuple se comprennent mal.

A Paris, en mai 1968, un cri avait spontanément jailli : « Nous sommes tous des juifs allemands » ; il se transforma en « Nous sommes tous des Tchécoslovaques ».

J'aurais dû accompagner Dominique et Nicolas Nabokov en Russie via Berlin-Est mais, après cette intervention cruellement intempestive, nous y renonçâmes : impossible d'aller faire bonne figure au cours d'un voyage semi-officiel au lendemain de ce qui venait d'arriver. Comme tout un chacun, j'avais été consterné par l'invasion russe de la Tchécoslovaquie, mais à tout prendre, les bombardements américains au Vietnam ne valaient vraiment pas mieux.

Après son retour d'U.R.S.S., au premier trimestre, André me l'avait précisé, le geste à l'appui : « Ils (les dirigeants du Kremlin) ont desserré le poing et relevé le bras mais ils sont prêts à le laisser retomber dès qu'ils le jugeront nécessaire ». Il n'avait, en somme, anticipé que de quelques mois.

« Pauvres Tchèques » me dit André à la rentrée : « mais depuis quand les autres ont-ils changé ? » Une fois de plus, il avait raison. A partir de 1967, je l'avais vu émerger de sa dérive vers la dépression. L'audience internationale des *Antimémoires,* la présence de Louise de Vilmorin à ses côtés l'avaient étonnamment ragaillardi. Il avait tenté de se distraire, au sens pascalien du mot, et même à son sens le plus courant : il sem-

* *Cf. Hôtel du Nord.*

blait enfin y être parvenu. Mais de malentendus nés de la peur qu'il inspirait à ses interlocuteurs, d'attitudes inexpliquées qui, souvent chez lui, ne recouvraient que son inaptitude à l'empathie la plus sommaire et empruntaient volontiers le masque d'un monarque absolu, il était également prodigue. Ce qui explique sinon pourquoi, du moins comment il a pu se brouiller avec tant de gens — ou cesser de les voir, ce qui revient au même.

A la suite d'un embrouillamini auquel son entourage professionnel avait apporté sa généreuse contribution au moment où il avait envisagé de divorcer de ma mère, je reçus d'André un mot d'une exquise courtoisie qui, toutefois, s'achevait ainsi :

« De l'autre côté du fleuve, je te souhaite d'être heureux. André Malraux. »

A l'exception du général de Gaulle, figure tutélaire qui venait confirmer la règle, il n'y avait pas d'exemple que l'auteur de *l'Espoir* n'eût pas rejeté ses proches — femmes et enfants — les uns après les autres ; pour longtemps ou pour toujours ; la mort en avait frappé quelques-uns à temps, avant que son système d'évictions successives n'ait pu leur être appliqué.

La rupture était inscrite en lui comme en d'autres la vocation des voyages. Pour moi, depuis trois ans déjà, lorsqu'il avait éjecté ma mère de sa vie, j'avais franchi la barre du premier quitte ou double. Je perdais le second, mais en m'y préparant depuis si longtemps que je ne pouvais en être ni surpris, ni amer : d'ailleurs, ce tournant avait été pris en douceur, et précédé d'une vingtaine d'années de gratifications continuelles, d'une générosité et d'une gentillesse constantes et, de surcroît, on n'y relevait nulle trace d'hostilité. De quoi aurais-je pu me plaindre ?

Dans le différend qui les avait séparés, je n'avais jamais embrassé une partie plutôt que l'autre ; ce n'était pas mon rôle. Soudainement, André me rangeait « objectivement » du côté qu'il ressentait comme ennemi. Bien. Insister eût été inepte. Je me souvins de Beaumarchais : « Vouloir prouver que j'ai raison serait accorder que je puis avoir tort », pour voir que précisément aucun tort ne m'était imputé : je n'étais que le fils de ma mère. Comme je ne souhaitais rien prouver à personne — qu'à moi-même — j'ai fait autre chose.

Nous avons donc cessé de nous voir, des années durant. Ce n'était pas une brouille selon la définition que Sartre en a donné à la mort de Camus : pas « une autre façon de vivre ensemble » en se demandant à propos de tout et de rien ce qu'en pense l'autre. C'était une séparation réelle où chacun des deux n'était que pour soi et qui, parfois, prenait un avant-goût de cendres, tout laissant penser qu'elle serait irréversible. Pour autrui, cet éloignement était peu intelligible. En réalité, pour absurde qu'il fût, jusqu'à un certain point, en aérant nos vies, il fut libérateur pour nous deux. A ceux qui demain, me lanceront au visage des raisons qu'il m'est arrivé de leur fournir moi-même à certaines heures de désarroi aigu, pendant ces années où j'accomplissais péniblement ma propre mise au net à travers une expérience psychanalytique au long cours, je saurai quoi répondre.

Car ce témoignage, je l'aurais écrit de toute manière, même si rien n'était venu modifier l'équation de ce silence.

Peut-être, en ce cas, aurait-il trahi la résonance tragique que donne le sentiment de l'irrémédiable mais je l'aurais écrit dans le même sens : sa mort a fait d'André Malraux une somme désormais indivisible.

Si je me suis trompé ici ou là, si j'ai mal interprété tel ou tel aspect de sa — multiple — façon d'être, c'est sans peine que j'ai choisi mes souvenirs.

La seule personne qui aurait pu juger avec quelque

fondement tout le passif évoqué dans ce livre est ma mère : elle ne l'a jamais fait, sachant comme Flo, comme moi, que c'était *injugeable,* pour reprendre le mot si juste de notre amie Alice. Ce qui n'est pas un mince éloge.

Un peu plus tard, je rencontrai Chanel, qu'André admirait vivement, chez les Lazareff ; elle me lança à la cantonade : « Il y a des femmes avec lesquelles on peut se conduire comme Malraux avec votre mère mais justement pas avec elle. Enfin ! c'est la rançon du génie. »

A Nicole Alphand, de qui je le tiens, et qui lui disait toute sa sympathie au lendemain de leur rupture, ma mère avait répondu calmement : « Oui, mais en même temps, j'ai eu tellement plus que les autres... »

Moi aussi. André a pu être inhumain, révoltant, quelquefois même indéfendable — qu'importe !

Qu'est-ce que cela pèse en face de ce que nous laisse son passage sur cette terre ? Qui serais-je, pour oser m'ériger en censeur d'un tel aventurier de l'esprit ?

En 1972, après son hospitalisation à la Salpêtrière, son médecin — son plus proche ami, devrais-je dire — obtint d'André l'inespéré : la désintoxication. Effort dont il ne se départit plus, avec un courage sans faille dont il fut le premier récompensé. C'est elle qui rendit possible la dernière partie de son œuvre dont *Lazare* marque le renouveau.

Flo retrouvée, un lien d'abord ténu, puis de plus en plus solide s'est reformé entre son père et elle, encore renforcé par son mariage avec Alain Resnais, auquel il vouait une admiration d'exception.

Aux côtés d'André, il y avait eu Louise de Vilmorin, avec laquelle il avait pris une option pour la fin de sa vie. A sa mort, si soudaine, tout avait paru s'effondrer, et pour André, le terme avait semblé imminent. Désemparé au-delà de l'exprimable, il était resté chez les Vilmorin. Puis, ils en avaient fait leur locataire. A la disparition de Louise, je lui avais écrit et reçu un mot de remerciement par retour de courrier. Une de ses nombreuses nièces avait peu à peu adouci cette blessure qui, pour finir, s'était cicatrisée. Maintenant, Sophie de Vilmorin veillait sur le repos de ses jours, animant la retraite de Verrières d'attentions qui venaient doubler la vigilance de Louis Bertagna. La vraie tendresse qu'il nourrissait à leur égard maintenait vivant ce qui lui restait d'affectivité. L'une après l'autre, les années se sont évanouies.

Mon mariage a permis que nous nous retrouvions.

Poisson d'avril ? Il a rencontré un jeune marié et sa femme, ravissante. Nous avions un trac fou mais moins que lui, et le nôtre est tombé en voyant le sien. Sept ans déjà. « Tu n'as pas changé ! » fut sa première phrase, en ouvrant la porte — « Toi non plus ! » répliqua l'autre arracheur de dents qu'il fallait être pour cet incertain recommencement. De fait, il avait beaucoup changé en se portant infiniment mieux. André menait enfin la vie qui lui convenait : sans famille. Moi aussi, j'allais moins mal, il suffisait de regarder ma femme pour le savoir.

Plus disert que jamais, d'une élégance sans pareille dans sa veste de cachemire rose et blond, il s'est laissé véritablement interviewer sans répit sur tous les objets qui peuplaient son bureau. Sans nous permettre la moindre pause tant la crainte du silence nous étreignait.

Il nous a montré les peintures des savants naïfs qu'il avait découverts à Haïti, les feuillets des épreuves du livre auquel il était attelé, nous a parlé, autour d'un délectable thé froid, du Brésil où nous allions partir, de l'Italie qui nous attendait la semaine suivante.

Enfin certain que ni l'un ni l'autre ne réveillerait de vieilles blessures, toujours prêtes à se rouvrir, fût-ce d'un frôlement, il s'est rasséréné.

Puis nous avons voulu abréger une rencontre que pourtant chaque minute enrichissait davantage.

Je lui ai fait faire un détour par le salon bleu, que je ne connaissais pas non plus, puisque j'étais là pour la première fois.

« Envoyez des cartes postales », me lança-t-il en oblique, petit signe à saisir au vol ; il pourrait y compter, lui dis-je. Dans cette pièce, que m'avaient fait entrevoir les émissions de Claude Santelli et Françoise Verny, je redécouvris les têtes Gandhara dites gréco-bouddhiques, qui avaient décoré ma vie d'enfant. Autour d'elles, de très belles fleurs, disposées çà et là, parmi quelques objets nouveaux, apparus au temps de notre éloignement. « Quelques farfelus », indiqua encore André.

Un peu à l'écart, une photo de Louise de Vilmorin, prise par Cecil Beaton trente ans plus tôt m'a attiré : admirable, ce profil en robe du soir. Spontanément, je l'ai dit.

Là, j'ai senti craquer ses dernières hésitations, s'évanouir l'arrière-pensée qui lui restait.

L'étendue de sa gamme de sentiments n'appartenait qu'à lui, notes muettes et tenues comprises, mais je la connaissais par cœur : entre beaucoup de guillemets André était peut-être comme tout le monde, seulement il l'était plus, ce qui le faisait si différent...

Il a saisi qu'il n'y avait plus de place pour ne fût-ce que la trace d'un ressentiment. Comme on reprend connaissance, il a repris confiance. C'était beau.

En juin 1944, en Périgord noir, il m'avait entendu brailler, nourrisson affamé, dans cet hospice de vieillards de Domme où ma mère avait failli mourir, miraculée in extremis de couches dignes du Moyen Age. Un an plus tard, il m'avait pris avec ses fils et vu grandir avec eux. Comme l'avait dit Alice, il m'avait fait apprendre l'intelligence avant la vie.

Il allait falloir se quitter. Peut-on dire un regard à qui ne l'a pas vu ? Celui qu'il a posé sur nous, sur moi, était chargé à la limite du supportable, venant de si loin et recouvrant tant de choses mêlées, lumière et pénombre, peine et autres peines — éclatantes ou tues — paroles de discorde et paroles protectrices : ensemble, nous avions été heureux, aussi.

Maintenant, nous allions nous quitter, pour — n'y pensons pas. André a salué Priscilla avec toutes sortes de vœux. J'ai pris sa main dans la mienne, et prenant son bras de l'autre, je lui ai dit : garde-toi bien.

Puis nous l'avons laissé. Une fois encore, je me suis retourné vers la porte vitrée derrière laquelle il nous regardait nous éloigner. Trop vite, la grille s'est refermée. Me revint à travers la mémoire d'Alice la phrase que la mort de Wagner avait arrachée à Gabriele D'Annunzio : « Soudain, le monde semblait diminué de grandeur. » Sûrement, ils retentiraient pour lui, ces mots, le jour venu.

En effet.

Rio de Janeiro/Crans-sur-Sierre, 1977-1978.

40

TABLE DES MATIERES

Achevé d'imprimer le 27 avril 1978 sur les presses de la SIMPED pour Plon, Editeur à Paris.

Dépôt légal : 2e trimestre 1978.
Numéro d'édition : 10422.
Numéro d'impression : 6244.